P9-DWQ-849

THE TÜRKLER

Yalçın Pekşen
(d. 1940, İzmir –)

Darüşşafaka Lisesi'ni ve İstanbul Üniversitesi Hukuk Fakültesi'ni bitirdi.
1966 yılında Cumhuriyet gazetesinde basın yaşamına atıldı. Bir süre spor muhabirliği yaptıktan sonra, aynı gazetenin diğer servislerinde muhabir, röportaj yazarı ve köşe yazarı olarak çalıştı.
Nokta dergisinin çıkışında bir süre derginin genel yayın yönetmenliğini üstlendi. Daha sonra, sırasıyla Milliyet, Güneş, Hürriyet ve Akşam gazetelerinde köşe yazarlığı yaptı. Türkiye Gazeteciler Cemiyeti'nin açtığı meslek başarı yarışmalarında mizah, röportaj ve köşe yazısı dallarında 8 ödül kazandı.
Bugüne kadar yayınlanmış kitapları: *Suya Sabuna Dokunarak* (Çağdaş Yayınları), *Nuh Peygamberin Seyir Defteri* (Çağdaş Yayınları), *Dilin Kemiği Yok* (Cep Yayınları), *Nevşehir'den Newyork'a* (Varlık Yayınları), *Ye Türküm Ye* (Cep Yayınları), *Köpeği Isıran Adamın Peşinde* (Cep Yayınları).

İsmail Gülgeç
(d. 1947, Gaziantep -)

Çalışma hayatına 1965 yılında İzmir'de Yeni Asır gazetesinde başladı; Demokrat İzmir, Ege Ekspres gazetesi ile Devir dergisinde çalıştı. Buralarda *Kurtbay* adlı tarihi çizgi-roman, karikatür ve karikatür bantları çizdi.
İstanbul'da Milliyet gazetesi, Milliyet Çocuk dergisi, Cumhuriyet gazetesi ve çeşitli medya gruplarında çalıştı. 3 dönem Kariaktürcüler Derneği Başkanlığı yaptı.
Belli başlı işleri: *Hayvanlar* ve *İnsanlar* seri karikatürleri, *Ormangiller, Elif, İkizler* adlı çocuk serileri ve çeşitli çocuk çizimleri, Süavi Sualp ile *Kolombo Şakir, Hırt Behçet* çizgi-romanı, Yaşar Kemal'in *İnce Memed* çizgi-romanı... Son yıllarda medyadan koptu, bir çiftlikte yaşamakta, serbest çalışmakta... Son ürünü, Ahmet Ümit'in polisiye öykülerinden yaratılan *Başkomser Nevzat* çizgi-romanıdır.

YALÇIN

PEKŞEN

THE TÜRKLER

Çizimler:
İsmail Gülgeç

İstanbul

Say Yayınları

The Türkler / Yalçın Pekşen

ISBN 975-468-587-8

Yayın Yönetmeni: Murat Batmankaya
Editör: Özgü Çelik
Çizimler: İsmail Gülgeç
Düzelti: Banu Bozdemir

Baskı:Günaydın Ofset
II. Matbaacılar Sit.
ZE1 Topkapı-İstanbul
Tel: (0212) 501 29 45

1. baskı: Say Yayınları, 2006 Ocak
2. baskı: Say Yayınları, 2006 Ocak
3. baskı: Say Yayınları, 2006 Ocak
8. baskı: Say Yayınları, 2006 Şubat

10 09 08 07 06 12 11 10 9 8

© **Say Yayınları**
Ankara Cad. 54 / 12 • TR-34410 Sirkeci-İstanbul
Telefon: 0 212 - 512 21 58 • Faks: 0 212 - 512 50 80
e-posta: sayyayinlari@ttnet.net.tr

Genel Dağıtım: Say Dağıtım Ltd. Şti.
Ankara Cad. 54 / 4 • TR-34410 Sirkeci-İstanbul
Telefon: 0 212 - 528 17 54 • Faks: 0 212 - 512 50 80
e-posta: dagitim@saykitap.com
Online satış: www.saykitap.com

İÇİNDEKİLER

SUNUŞ

NEDEN 'THE TÜRKLER'?

'Günümüzün Nasrettin Hocası' da denilen ünlü gülmece yazarımız Aziz Nesin, bir Nasreddin Hoca fıkrasında olduğu gibi, ölmeden önce bizlere doğru yolu göstermeye çalışmıştı; fakat biz onun yine 'mizah' yaptığını sandık.

Bir dönem Taksim'deki 'The Marmara' otelinin adına takılmıştı.

Sık sık şunları söylüyordu:

- Bir ülkenin coğrafi yer adına 'the' eklenerek Amerikanlaştırılıyorsa ve bu duruma kimse tepki göstermiyorsa, o ülke emperyalizmin kültürel işgali altındadır. Tarihsel olarak savaş yoluyla bir ülkenin işgal edilme devri kapandı; bu kez başka bir işgal var. The Marmara önünden her geçişte ulusal gururum çiğneniyor. Hep birlikte gidelim ve otelin adının değiştirilmesini isteyelim.

Birlikte gitmek bir türlü kısmet olmayınca ben tek başıma gidip, otelin o zamanki -sanırım hâlâ- sahibi olan Ali Güreli'ye Nesin'in isteğini ilettim.

Ali Bey uygar bir insandı, yazarın isteğini gülümsemeyle karşıladı ve otele neden 'the' sözcüğünü eklediklerini açıkladı.

'The' ön takısının, özel adların veya coğrafi bölge adlarının başına geldiğinde bir işlevi vardı. Daha kolay anlatabilmek için benim adımdan yola çıkarak şu örneği verdi:

– Diyelim, iki arkadaş sohbet ederken biri diğerine 'Yalçın'ı gördün mü?' diye soruyor. Diğeri 'Hangi Yalçın?' diyor. 'Canım hangi Yalçın olacak.. The Yalçın...'

Yani benim farklı özelliklerimi belirtiyordu bu takı..

Ne yalan söylemeli, ben bu sözlerden bir şey anlamamıştım. Nüfus kâğıdımı epey eskitmiş olduğum halde, bugüne kadar kimseden 'The Yalçın' şeklinde bir söz duymamıştım. Belki de benim 'farklı özelliklerim' olmadığı içindi.

Ali Bey ise böyle bir söyleyiş tarzı olduğunda ısrar ediyordu. The'nın yararlarını görmüşlerdi. Değiştirmeyi düşünmüyorlardı. Aziz Nesin'e de benim aracılığımla şu mesajı gönderiyordu:

– Biz özbeöz Türküz ve emperyalist olan rakiplerimizdir. Yani onların yanında değil, karşılarındayız. Ama bu mücadeleyi onların silahları ile yapmak zorunda olduğumuzdan adımızın başına 'The' koyuyoruz.

Ben de dönüşümde Aziz Nesin'e şunları söyledim:

Aziz Ağabey, otelin adını değiştirmeyi unutun. Ayrıca sakın Taksim'e gidip uğraşmaya kalkmayın. Yoksa beni yaptıkları gibi, sizi de 'The Aziz' yapabilirler.

Sonra olaylar gelişti ve Aziz Nesin haklı çıktı. Hemen hemen her Türk dergisi, her Türk mağazası, her Türk oteli ingilizce adlar aldı. Neredeyse Türkçe kullanılmaz oldu. Bazı Türkçe sözcükler dahi 'the' eklenerek ya da yazılışları İngilizce okunuş kurallarına uydurularak yabancılaştırıldı. Bir anlamda The Marmara Oteli sahibinin öngörüsü gerçekleşti:

'Farklı özellikleri' olan 'The Türkler' ortaya çıkmıştı.

Yalçın Pekşen
Moda, İstanbul, Kasım 2005

1. BÖLÜM

TÜRKLER'İN ANAVATANI ORTA ASYA'DA NELER OLDU? NEDEN ORADAN AYRILDILAR? ANADOLU'YA VARINCA NEDEN DURDULAR? ONU ANLATIR.

Türkler'in kökeninin 'fi' tarihinde Orta Asya'da bulunan bazı topluluklarla (İskitler, Hunlar, Uygurlar ve Moğollar gibi) ilişkisi olduğu bilinse de, ondan öncesi pek bilinmez.*

Araba, otomobil, hatta tekerleğin bile bulunmasına epey zaman vardır. Bu durumda Türkler Tanrı'nın onlara özel olarak bağışladığı zekâlarıyla atların binek hayvanı olarak kullanılabileceğini akıl etmiş ve daha sonra gelişecek uygarlığın yarattığı tüm gelişmelere boş vererek atları kullanmayı sürdürmüşlerdir.

* *The Türkler*'in yayınlanmasından kısa bir süre sonra, hiçbir kişi ve kavrama saygısızlık veya hakaret içermeyen bazı satırlar, bile bile olay yaratmak isteyen kışkıştıcı çevrelerce tartışma zeminine taşınmıştır. Bu çevreler, yasa dışı kışkırtıcılığa, daha doğru deyişle 'kitaba saldırı' olayına destek vermişlerdir. Yasalar ve resmi makamlar önünde en ufak bir kuşku ya da endişe taşımadığım halde, ülkemizdeki kontrolsüz ortamın yarattığı hassas durumu göz önüne alarak bu bölümden itibaren 23 satırı kendi isteğimle çıkardım. Bu eksikliğin okurlar tarafından anlayışla karşılanacağını umuyorum.
Yalçın Pekşen

ANADOLU?
WHAT?!

Her işlerini at üstünde görmüşler, sütünü kımız yapıp içmişler, hatta aç kaldıklarında onları kesip yemişlerdir. Günümüzde hâlâ süren at-eşek etinden sucuk-pastırma yeme alışkanlığı da o günlerden kalmış olabilir.

Ne var ki, at üstünde hiçbir şey üretmeden, sadece eldeki olanakları tüketerek yaşamak, bir süre sonra Orta Asya'da ne ağaç, ne bitki, ne de bitkilerle beslenmekte olan hayvan bırakınca ve ortada kendileri ve atlardan başka canlı kalmayınca ne yapsınlar?.. Yine at üstünde yola koyulup dünyayı fethe çıkmışlardır.

Epey yol aldıktan sonra Anadolu'ya, yani şimdiki Türkiye'nin bulunduğu yarımadaya varmışlardır.

Neden daha ileriye gitmedikleri tarihçileri epey düşündürmüştür, ama aslında çok basittir. Zira arada deniz vardır. Henüz hiçbir ulus gemileri icat etmediği gibi, Japonlar da Boğaz köprülerini inşa etmemiştir. Bizimkiler zorunlu olarak Asya kıtasında kalmışlardır.

Avrupa yakasında bulunan İstanbul (o zamanki adıyla Constantinopolis), Fatih Sultan Mehmet tarafından çok sonraları gemiler icat edildikten sonra fethedilecektir.

ANADOLU TÜRKLER'İN ELİNE GEÇTİKTEN SONRA NELER OLDU? AKSAK TİMUR NİYE AKSIYORDU? ONU ANLATIR.

Türkler Anadolu'ya vardıklarında bu topraklar üzerinde bazı insanlar yaşıyordu, ama bizimkiler aldırmadılar. Sanki kimse yokmuş gibi, geniş alanlara yayıldılar.

Aynı topraklardan daha önce kimler geldi, kimler geçti derseniz... Kısaca Hititler, Yunanlılar, Frigler, Kummerler, Lidyalılar, Persler, Keltler, Romalılar ve Bizanslılar sayılabilir.

Sonunda Büyük Selçuklu hükümdarı Alparslan, 'aslanlar gibi' Anadolu'ya girdi ve Bizans imparatoru Romanes Diogenes'i Malazgirt'te yenerek Türkler'e Doğu'da ilk kapıyı açtı.

Aynı kapıdan giren Türk boyları arasında Artullular, Mengücükler, Danişmendler, Saltuklular, Moğollar ve -üzerinize afiyet- Oğuzlar da vardı. Oğuzların küçük bir topluluğu olan Kayı boyunun başında ise yönetici olarak Ertuğrul Gazi bulunuyordu. 1252 yılında doğan ilk oğluna, ilerde kurulacak olan devleti aklına dahi getirmeden, Osman adını koymuştu.

Türkler'den önce gelmiş olanlar Anadolu'da gelişmiş uygarlıklar kurmuşlardı. Örneğin Hititler kuş uçmaz kervan geçmez yörelerde hanlar, hamamlar, Romalılar büyük amfitiyatrolar ve Truvalılar da kentler kurmuşlardı.

Ancak daha sonra inşa edebildikleri tek yapılar ecdadımızdan kendilerini koruyabilmek için kurdukları kaleler, burçlar ve yüksek duvarlar oldu. Bu kalelerin bazıları hâlâ aynı yerlerde harabe olarak durur, bazılarının taşlarından ise gecekondu yapımında yararlanılarak daha yeni harabeler yaratılmıştır.

Osmanlı İmparatorluğunu adı üstünde Osman Bey ya da Osman Gazi kurdu.

Başta da belirtiğim gibi, Oğuzlar'ın bir boyundandı. Söğüt'te doğdu. Edebali'nin kızı Mal Hatun'la evlendi. Orhan dünyaya geldi.

Bursa'dan yayılarak Marmara denizine, Karadeniz'e, Ege ve Akdeniz'e kadar uzandılar. Önlerine deniz gelince yine durdular.

Osman ve Orhan Bey'lerden sonra Osmanlı imparatorluğu sanki yeryüzünde başka ad yokmuş gibi hep aynı adları taşıyan padişahlar tarafından yönetildi:

6 Mehmet, 5 Murat, 4 Mustafa, 3'er Osman, Ahmed ve Selim, 2'şer Abdülhamit, Süleyman, Bayezıd ve Mahmut, birer Abdülmecid, Abdülaziz ve İbrahim. Bu sonuncunun adı akıl sağlığı yerinde olmadığı için balıkları besleme adeti yüzünden bir daha kullanılmadı..

Vahidettin olarak bilinen son padişahın da asıl adı Mehmet (VI) idi.

Osmanlılar 1400 yıllarına kadar çevrede kimseye hayat hakkı tanımadılar, daha sonra Timur komutasındaki Moğollar gelerek egemenliği ele geçirdiler.

Bu sırada Nasreddin Hoca ortaya çıktı. Onun sayesinde halk mizah yoluyla Timur'u bunalttı... Söylentiye göre Timur Anadolu'yu ele geçirmeye kalkıştığında henüz aksamıyordu. Bizimkilerle uzun süre bir arada bulununca önce gözü seğirmeye, sonra elleri titremeye başladı... Son olarak 'Besleyin' diye gönderdiği fillerine iyi bakılmadığını görünce, huzuruna çağırıp azarladığı Hoca Nasrettin'e son arzusunu sorduğunda

-Biraz daha fil isteriz Hünkarım! cevabını alınca Timur artık iflah olmadı, son günlerini ağır aksak geçirdi. O yüzden kendisine 'Aksak Timur' denildiği rivayet edilir.

Nasreddin Hoca'nın fıkraları günümüze kadar anlatıldı. Zira bindiği dalı kesenler, tencerenin doğurduğuna inanıp öldüğüne inanmayanlar, ne diyeceğini bilmeden halkın karşısına çıkıp 'bilenler bilmeyenlere anlatsın' diyenler, günlük giysileri ile ilgi görmeyince kürkle dolaşıp 'Ye kürküm ye' diyenler hep oldu.

Nasreddin Hoca mizahının bir türlü eskimeyip, her daim taze kalması aynı öykülerin ufak tefek farklarla zamanımızda da sürüp gitmesindendir.

İşte elinizde tuttuğunuz kitap benzer öyküleri anlatır.

FATİH SULTAN MEHMET HAN'IN 21. YÜZYILIN BAŞINDA İSTANBUL'A YAPTIĞI İKİNCİ SEFERİ ANLATIR.

Aşağıda Osmanlı Devleti'nin tüm padişahları üzerinde tek tek durulacak, ama özel olarak üzerinde duracağımız kişi Fatih Sultan Mehmet olacak. Çünkü İstanbul'u alarak tüm dünyayı Ortaçağ'dan Yeniçağ'a sokan odur. Ne yazık ki kendisinden sonra gelenler ülkeyi yeniden Ortaçağa döndürmeye uğraşmışlardır.

Olsun, o İstanbul'u ele geçirdi ve tarihe 'Fatih' olarak geçti. Fetih öyküsü ayrıntılarıyla bilindiği için ben yinelemeyeceğim. Ancak Fatih 21. yüzyılın başında İstanbul'a ikinci bir sefer daha yaptı. Bu öykü pek bilinmez, onu anlatacağım.

Fatih Sultan Mehmet'in Cennet'te canı sıkılmaya başlamıştı. 550 yıla yakın zamandan beri süren huzuru son günlerde bozulmuştu. Burada da hizmetinden ayrılmayan Ulubatlı Hasan tarafından 'İstanbul'dan yeni bir grup geldiğini' öğrendiğinde sinirleri daha da bozuluyordu. Çünkü Cennet'e gelen Türkler giderek çoğalıyordu. Bunun nedeni İstanbul'un Mekke ve Medine'ye benzemesi değil, Tanrı'nın 'İstanbul'luların yaşarken yeterince cehennem azabı çekmelerine' bakarak tümünü doğrudan cennete almasıydı.

Padişah bir süre öncesine kadar gelişen olayları iyi kötü anlayabiliyordu. Örneğin terör yüzünden çok kişi dünyalarını değiştirmişti. Hocası Molla Gürani'den aldığı bilgiye göre terör de önünde-sonunda bir tür savaştı. Fatih Sultan Mehmet gibi bir cengaver savaşın ne demek olduğunu anlamakta fazla zorluk çekmiyordu. Ancak son günlerde gelenlerin çoğu söz birliği etmişçesine hep aynı sözcüğü yineliyorlardı: 'Trafik'..

İşte bu trafik ne mene bir şeydi? Hocaları Molla Hüsrev, Molla Gürani ve Molla Yegan kafa kafaya verdikleri halde bu olayı kendisine açıklayamıyorlardı.

-Trafik nedir bre alim efendiler? Siz ki diyar-ı garp'tan diyar-ı şark'a kadar kuş uçsa bilirsiniz.. Bana da açıklayasınız.. diye kükrediğinde hiçbirinden çıt çıkmıyordu.

Yeni gelenler Padişahın huzuruna kabul edildiklerinde şöyle şeyler anlatıyorlardı:

- Hünkarım, trafikte Kasımpaşa'dan aşağı 120 kilometre hızla iniyorduk. Birden karşımıza bir TIR çıkmaz mı?... Sonrasını hatırlamıyoruz.

Fatih TIR ve TRAFİĞİ önce frenk paşaları sanmış fakat sonra insan olmadıklarını kavramıştı. O zaman soruyordu:

-Bre zındıklar.. Kasımpaşa dediğiniz sakın, bizim Kasım Paşa'ya tımar ve zeamet olarak verdiğimiz araziler olmasın?

-Orasıdır Padişahım.. Çünkü İstanbul'da başka Kasımpaşa yok.

O zaman Fatih durumu anladığını sanarak

-Bre aptallar... diye kükrüyordu, orada yol falan yoktur ki geçesiniz. Ben bile leventlerimle gemileri karadan Haliç'e indireceğim diye rahmetli anam Devlet Hatun'dan emdiğim cümle sütü burnumdan getirmiştim... diyordu.

Bu kez İstanbul'lular

-Ne gemisi Sultanım, biz otomobille gidiyorduk.. yanıtını verince kafası iyice karışıyordu. Hemen matematik hocası Ali Kuşçu'yu yanına çağırıyor:

-Hoca.. hoca, diyordu, bunlar ne demekteler? Hele bana otomobili, 120 kilometreyi bir izah edesün.

Ali Kuşçu kerrat cetvelini önce baştan sona, sonra sondan başa taramasına karşın ne hayvansız arabayı, ne de saatte 120 km'lik hızı açıklayabiliyordu.

Fatih cennetlik Türkler'den aklının almadığı başka bilgiler de öğreniyordu. Örneğin son zamanlarda bazı padişahlar çıkmış, İstanbul'a köprüler yaptırmışlardı. Geçenlerden bir para, geçmeyenden iki para alınıyordu. Ve bu köprülerden birine Fatih Sultan Mehmet'in adı verilmişti. Nedeni de, Fatih'in fethiyle dünyaya çağ atlatmasıydı. Güya son padişahlar da köprüler yaptırarak ülkeye çağ atlatmaya çalışıyorlardı. Ancak artık bu işin de kolayı bulunmuştu: kefereleri çalıştırmak... Köprüleri japonlara ve ingilizlere yaptırmışlardı. Oysa kendisi dünyaya çağ atlatırken neler çekmişti..

Tüm bu acaip gelişmeler Fatih'in canını sıkıyordu. Ne de olsa kentin eski fatihiydi. Durumu gözleriyle görmek, gerekirse yeniden bir çeki düzen vermek istiyordu.

Bir gece oturup Tanrı'ya yalvardı; " Ne olur Allahım, bu hakir kulunu bir kaç saatliğine de olsa İstanbul'a gönder, durumu gözlerimle bir göreyim, ne olduğunu anlayayım."

Allah kendisi için camiler yaptırmış olan sevgili kulunun isteğini kulak ardı edemedi. Ve bir sabah onu Edirnekapı surlarının önüne bırakıverdi.

Cennette yeni giysi bulmak zorluğu yüzünden Fatih üstünde hâlâ padişahlığı zamanından kalma kaftanı ve sarığıyla İstanbul'a dönmüştü. Sakal ve bıyığını ise hiç kesmemişti zaten. Yine de Edirnekapı surlarının önünde hiç yadırganmadı. Çünkü hemen hemen herkes aynı durumdaydı.

Erkeklerin çoğu cüppeli, kadınlar tesettürlüydü.. Sakallarına gelince, Fatih 500 küsur yıllık sakallarıyla bile çağdaş İstanbul'da son derece normal kalıyordu.

Kente bir göz atmak ve işleri düzeltmek için fazla zamanı yoktu. Hemen karşıdan karşıya geçmek istedi ancak yoldan birçok araç geçiyordu. Saatte 120 km hızın ne demek olduğunu o zaman iyice anladı.

Saatler geçtiği halde hâlâ kente girememişti. Karşıdan karşıya geçmeyi bir türlü başaramıyordu. Caddeye her adım atışında kaldırıma geri dönmek zorunda kalıyordu. Sonunda Yaradan'a sığınıp 'Ya Allah... Bismillah..' diyerek son bir hamle yaptı. O sırada TIR denen nesnenin ne olduğunu tam üzerinden geçerken anladı.

Gözlerini açtığında yeniden Cennet'te idi.

Kendisini karşılayan sadık adamı Ulubatlı Hasan'ın

-Hoş geldünüz Haşmetlüm, sefalar getürdünüz. İstanbul nicedir? sorusuna

- Hasan, dedi, biz İstanbul'a zamanında girmişiz. Şimdi girmek hem mümkün değil, hem de çok tehlikeli... Üstelik insan ne şehit oluyor, ne gazi..

Yeniden bıraktığımız yere dönersek...

Fatih'in karşı kıyıya karadan gemilerle geçmesi sonucu Türkler sonunda Viyana kapılarına kadar gittiler. Bu işi de Kanuni Sultan Süleyman başardı. Sonradan geriye dönüldü ve iyice geriye gidildi. Bunu başaranlar da daha ilerde iş başına geçecek olan ve kanuni olmayan Süleymanlar'dı.

OSMANLI İMPARATORLUĞU NASIL YÜKSELDİ, NEDEN DURDU, NİÇİN GERİYE GİTTİ, NEDEN BATTI? ONU ANLATIR...

İsterseniz Osmanlı imparatorluğunu yönetmiş tüm padişahlara (36 kişi) tek tek, ama kısa kısa göz atalım ve bakalım Osmanlı İmparatorluğu nasıl yükselmiş, niye durmuş, neden batmış. Bu konu da pek bilinmez ve genellikle 'Boşver abi yaa.. Herşeyi bileceksin de ne olacak abi yaa..' şeklindeki ulusal sloganımızla geçiştirilir, ama galiba batışta bu sloganın da etkisi vardır.

Padişahlar çoğunlukla astığı astık, kestiği kestik kişilerdi; azınlıkta kalanlar ise boğdurma taraftarıydı. Türlü türlü huyları vardı. Örneğin devlet malını kendi malları sanmak gibi.. Bu alışkanlık çağdaş Türkiye'de de sürmektedir, ama daha sırası değil..

OSMAN I (Osman Gazi veya Osman Bey) (1299-1324)

Hanedanlığı kurdu. Bursa ve çevresinde durmadan cenk ederek sınırları Marmara denizinden Karadeniz'e kadar genişletti. İlk vergileri koydu, ilk akçeyi bastırdı. Oğluna aşağıdaki öğütleri miras olarak bıraktı:

-Ey oğul, artık tahtın sahibi sensin. Bundan böyle doğruluk sana, yanlışlık başkalarına... Hak ve adalete uymak sana, haksızlık ve adaletsizlik başkalarına... Acımak sana, gaddarlık başkalarına...

ORHAN GAZİ (1324-60)

Cenge devam etti. Bugünkü İznik'i aldı, Darıca, Gelibolu'ya kadar geldi, Üsküdar'a dayandı. İlk düzenli orduyu kurdu, ilk Osmanlı yasalarını hazırlattı. Aynı öğütleri o da oğluna miras bıraktı.

I. MURAT (Hüdavendigar) (1360-89)

Cenge devam etti, İki kardeşini öldürterek taht için kardeş öldürme geleneğini başlattı. Sınırları Edirne'ye kadar (İstanbul hariç) genişletti. Sonra Sofya'ya geçti, Sırbistan'a dayandı. Burada bir sırp tarafından bıçaklanarak öldürüldü. Devşirme sistemini kurarak 'kefereyi kefereye kırdırma' yöntemini keşfetti.

Babasının öğütlerini kulak ardı etmiş, ilk haksızlığı da kardeşine yapmıştı. Hak ve adalete uymak bir yana, gaddarlıkta başı çekmişti. O yüzden tahtı oğluna devredeceği zaman bunlar aklına dahi gelmedi.

BEYAZID I (Yıldırım) (1389-1402)

Cenge devam.. İstanbul'u ilk kez ve 3 kez kuşatan kişi oldu, ama alamadı. Ankara savaşında Timur'a yenilerek esir düştü. Sürgünde öldü. Yazık oldu, okuma yazma bilen ilk padişahtı. Dede öğütlerinden onun da haberi olmadığı için kimseye bir şey bırakamadı..

MEHMET (Çelebi) (1403-21)

Cenge devam.. Çelebi karakterliydi. Okuma yazma biliyordu. Büyükbüyük dedesinin halk arasında kulaktan kulağa yayılan ve babasının babasının kulak asmadığı nasihatlarını toparladı, yazılı hale getirdi. Oğluna yeniden miras bıraktı.

MURAT II (1421-44) (1446-51)

Cenge devam.. İzmir'e kadar ilerledi, iki kez tahta çıktı. Araya Mehmet II (Fatih) 2 yıllığına girdi.

ULAN CENK ETMEKTEN DÜNYADAN BİHABER KALDIK BE!

MEHMET II (Fatih) (1444-46) (1451-81)

Cenge devam etti, İstanbul'u alarak cihana çağ atlattı, ama bize atlatamadı.

BEYAZID II (1481-1512)

Cenge devam etti, ama artık alacak fazla yer kalmadığından eldekileri kaybetmemek için cenk etti. İstanbul alınmış olduğu için İstanbul'u almaya kalkmayan ilk padişah oldu. Bestekar ve şairdi.

SELİM I (Yavuz) (1512-20)

Cenge devam etti, ama daha çok ikinci Bayezid'in oğullarıyla... Mısır'a kadar da gitti, kulağında küpesi vardı. Şiire ve içkiye meraklı ilk padişahtı..

SÜLEYMAN I (Kanuni veya Muhteşem) (1520-66)

Cenge devamla Macaristan'ı ele geçirdi, Viyana kapılarına dayandı. Bu sırada Barbaros Hayrettin Paşa da Akdeniz'i ele geçiriyordu. Büyükbüyükbüyükbüyük büyük dedesinin nasihatları ile artık devlet yönetilemeyeceğini, kafası bozulanın nasihatlere boş verdiğini gördü... Uyulması zorunlu çağdaş kanunlar yaptırdı. Kanuni bir adam ve şairdi. Yalnız biraz sağlıksızdı: 'Olmaya devlet cihanda bir nefes sıhhat gibi..' sözü onundur.

SELİM II (Sarı) 1566-74)

İyi bir öğrenim gördü, halim selimdi. Pek cenk etmedi. İşleri Sokullu Mustafa Paşa'ya yıktı.. Kıbrıs fethedildi. Osmanlı donanması da Tunus'u aldı. O ise Mimar Sinan'a Edirne'de Selimiye camisini yaptırdı.

MURAT III (1574-95)

Yine Sokullu işleri yürüttü. Kendisi barış taraftarıydı, ama talihin garip bir cilvesiyle savaşta öldü.

MEHMET III (1595-1603)

İmparatorluk sınırları çok genişlemişti. O yüzden ayaklanan ayaklananaydı. Mehmet III ayaklanmaları bastırmakla zaman geçirdi. Boş zamanlarında da şiir yazdı.

AHMET I (1603-17)
Padişahların kardeşlerini öldürmesine izin veren Fatih kanunnamesini kaldırdı. Tahtın babadan en yaşlı şehzadeye geçmesi kuralını getirdi. Az savaştı, çok şiir yazdı.

MUSTAFA I (1617-18) (1622-23)
Ölüm korkusundan akli dengesini yitirmişti. Başka adam bulunamadığından iki kez tahta çıktı, Kösem Sultanın girişimiyle indirildi. Hiçbir şey yapmadı..

OSMAN II (genç) 1618-22)
14 yaşında tahta çıktı. Yeniçeri ocağını düzene sokmak isteyince Yedikule zindanlarında yeniçeriler tarafından Hakkın rahmetine kavuşturuldu. (boğularak)

MURAT IV (1623-40)
I. Ahmet'in ve Kösem Sultan'ın oğluydu. 11 yaşında tahta çıkmıştı. Önceleri devleti annesi yönetiyordu. Büyüyünce işleri eline aldı; tütünü, alkolü yasak etti, kahvehaneleri, meyhaneleri kapattı, bol bol adam idam etti. Kendisi ise alkolden öldü.

İBRAHİM (Deli) (1640-48)
Balıklara para atayım derken hazineyi tükettiği söylenir, ama bu sav doğru değildir. Zira parayla beslediği söylenen balıklar Topkapı Sarayı bahçesindeki havuzun balıklarıydı. Ve Padişah beslemeyi tamamladıktan sonra bir görevli suya dalıp paraları yeniden çıkarıyordu. Annesi Kösem Sultan tarafından boğdurulana kadar 8 yıl iş başında kaldı. Böylece zamanımızdan çok önce delilerin bile ülke yönetebileceğini kanıtladı.

MEHMET V (AVCI) (1648-87)
Avcılıkla ilgilendi. 6 yaşında tahta çıkmıştı. Yine Kösem Sultan her şeyi idare etti. Savaş devam ediyordu, ama bu kez alınan yerler geri veriliyordu. Osmanlı devleti duraklama devrine girmişti.

SÜLEYMAN II (1687-91)
Deli İbrahim'in oğluydu. Babasına çekmişti, elde doğru dürüst ordu olmadığı halde savaşa ve eldekileri geri vermeye devam etti.

AHMET II (1691-95)
Yine İbrahim'in oğlu. Artık işler baş aşağı gidiyordu. Bir şeyler yapmaya uğraştı, ama kader ağlarını örüyordu..

MUSTAFA II (1695-1703)
Yenilgiler devam etti. Anlaşma imzalamaktan başka bir şeye vakit bulamadı. Şiire devam derken sizlere ömür.

AHMED III (1703-30)
Yenilgilere devam. Lale devrini başlattı, kaplumbağaların üzerine mum ve tüy diktirdi.

MAHMUT I (1730-54)
Fena çıkmadı, isyanları bastırdı, bir-iki fetih seferi bile yaptı. Yeniçeri ocağını biraz toparladı, ama 'vermeyince Mabut, neylesin Sultan Mahmut' lafı ortaya çıktı..

OSMAN III (1754-57)
Hemen hemen hiçbir şey yapmadı.

MUSTAFA III (1757-74)
Gerilemeye ve şiire devam.

ABDÜLHAMİT I (1774-89)
Yenilikçi bir padişahtı, ama yenilik isteyen kim? Başarılı olamadı.

SELİM III(1789-1807)
Batıyı örnekleyerek reformlar yapmak istedi, ama 'hoşafın yağı kesilince' yeniçeri isyan çıkardı. Bu sefer padişahta 'hoşafın yağı' kesiliverdi. Müziğe meraklıydı, devlet işlerini bir yana bırakıp kendini müziğe verdi, ama fazla yetenekli değildi. Güfte-

sini yazdığı ve bestesini yaptığı şarkıları dinleyenler bir daha iflah olmuyordu.

MUSTAFA IV (1807-08)

Gelmesiyle gitmesi bir oldu, bir de kellesinden oldu. (II. Mahmut'un emriyle)

MAHMUT II (1808-39)

Tanzimat döneminin hazırlayıcısı oldu. Çok iyi eğitim görmüştü, hem müzikten, hem şiirden anlıyordu. Bu arada sevabına yeniçeri ocağını da kaldırdı.

ABDÜLMECİT (1839-61)

Tanzimat fermanını ilan ederek yüzünü iyice batıya çevirdi. Doğudan bir hayır gelmeyeceğini anlamıştı. Ne var ki, batıya yanaşayım derken, yakayı kaptırmıştı. Ekonomiyi zamanın IMF'i sayılan Duyun-i Umumiye eline geçirdi.

ABDÜLAZİZ (1861-76)

Avcı, güreşçi ve ciritçi idi. Dış borçları arttırdı. Avrupa gezisine çıkan ilk padişah oldu. Osmanlı İmparatorluğu altındaki tüm milletler bağımsızlık savaşlarına o avda veya güreşte iken kalkıştılar. Kendisi ise kese kese altınla ödüllendirdiği pehlivanları yenmeye çalıştı. Ve bütün karşılaşmalarından galibiyetle ayrıldı. Çünkü onu yenecek pehlivanda 'mangal gibi yürek' gerekiyordu.

MURAT V (MAYIS-AĞUSTOS 1876)

3 ay işbaşında kaldı. 'Acaba ne yana bakayım' derken icabına bakıldı. Sonraki yaşamını Çırağan sarayında kardeşi II. Abdülhamit'in denetimi altında geçirdi.

ABDÜLHAMİT II (1876-1909)

En iri burunlu padişahtı. Çok alıngandı. Devr-i saltanatında tüm 'ümmet-i Muhammed' kendisine 'rapor' vermek için çalıştı. Herkes birbirini ispiyonlama karşılığı aldığı ihsanlarla geçinip gitti. İmparatorluk ise batıyordu. İstemeye istemeye Anayasa'yı ve II. Meşrutiyeti ilan etti, ama çöküşü engelleyemedi.

MEHMET V (1909-1918) (MEHMET REŞAT)

Çok iyi eğitilmişti, ama 65 yaşında padişah olabildi. Durmadan ayaklanma bastırmaya uğraştı ve sonunda 'Ulan, biz bu dünyaya ayaklanma bastırmaya mı geldik. Şehzade iken ne biçim hatunlar götürüyordum' diye yakınarak toprakların büyük bölümünü elinden çıkardı.

MEHMET VI (Mehmet Vahdettin) (1918-22)

Sonuncusu... Tam sopalıktı... Mondros anlaşmasını imzaladı ve Osmanlı topraklarını adeta düşmana kendi elleriyle teslim etti. Mustafa Kemal gemiyle Samsun' a doğru yol alırken, o hâlâ düşman kuvvetlerini içeri alıyordu. Ardından Sevr anlaşmasını da imzalayıp yaptıklarının üzerine tüy dikti.

O yüzden kendisini hâlâ Padişah zannederken Atatürk Ankara'da çoktan TBMM'nin kapılarını açmıştı.

Kurtuluş Savaşı zaferinden sonra bir İngiliz gemisiyle yurt dışına kaçtı. Müzik kenti San Remo'da öldü. İlginç bir rastlantı onun da 70'den fazla bestesi vardı.

Hiç biri çalınmadı.

KÖSEM SULTAN: Bir de Hürrem Sultan var; Osmanlı İmparatorluğu denince adı mutlaka anılması gereken. Çünkü bu hatun kişi, birkaç Osmanlı Padişahı kadar görev yaptı. I. Ahmet'in eşi olarak iktidarı eline geçirdi ve sırasıyla oğulları 1. Mustafa, 2. Osman, 4. Murad, İbrahim ve 4. Mehmet'in ilk zamanlarına kadar yönetimi elinde tuttu. Onun zamanında saray entrikaları had safhaya ulaşırken, imparatorluk gerileme dönemine girdi, bir daha da ilerleyemedi..

Sadrazamlara da (zamanın başbakanları) girersek bu kitap bitmez. En iyisi onların durumunu kısaca özetlemek:

Çoğunluğu 'mülk'ü (ülkeyi) yöneteceklerine 'malı götürmeye' kalktılar, o yüzden kelleleriyle birlikte her şeylerini kaybettiler.

Sadrazamların 'mülkü yönetme' yerine, 'malı götürme' eğilimleri Cumhuriyet döneminde de sürüyor, bir farkla; şimdikiler, her olasılığa karşı 'dokunulmazlık' kılıfına bürünüyorlar.

2. BÖLÜM

OSMANLI'DAN BİZE NELER KALDI, GERİYE KALANLAR NE HALLERE GİRDİ, ONLARI ANLATIR..

Haklarını yemeyelim; Osmanlı'dan bize sadece camiler ve saraylar kalmadı. Bazı özelliklerini de aldık ve bugüne kadar sürdürdük.

Neler vardı Osmanlı'da?...

Harem, yeniçeriler, oğlan mahbubluğu, cenk merakı, Baltacı Mehmet Paşa'nın Katerina düşkünlüğü, göbek dansı, 'Bir-iki kişiyi sallandıracaksın abi..' sözü, bıyık, sakal, sigara, Türk kahvesi, yoğurt, ayran.. Ve seyyar satıcılar..

Biraz da sanayi kalacaktı, ama olmadı. Osmanlılar Orta Asya'dan getirdikleri atların peşine tahta arabalar eklemekle işi idare ettiler, daha fazlasına göz dikmediler.

Sadece İstanbul alındıktan sonra Boğaziçi'nde gezinebilmek için biraz kayık sanayine önem verdiler, o kadar.

Demiryolunu vagonlarıyla birlikte gavurlardan aldılar. Uçak konusunun ise yüzüne bile bakmadılar.

Aslında bu konuda şansımız da vardı : örneğin Hezarfen Ahmet Çelebi dünyanın ilk uçan insanı oldu, ama hâlâ bir uçak yapamamış oluşumuzda Çelebi'nin zamanından önce uçması var, sanıyorum.

Öyküyü anımsayalım:

Hezarfen (bin fenli- çok bilgili) anlamına geliyordu. Zamanının önde gelen bilim adamlarından biriydi ve kanat takarak Galata kulesinden Üsküdar'a kadar uçmayı başarmıştı.

Bunun üzerine zamanın padişahı IV. Murat kendisini birkaç kese altınla ödüllendirdikten sonra, bilgisinden ürktüğü için Cezayir'e sürüverdi.

'Ferman padişahın' olduğu için Çelebi'nin önemli başarısından sonra Afrika'ya sürülmesi, uyanık halkımızın kulağında küpe olarak takılıp kaldı. Çok sonraları Mongolfier kardeşler uçmaya çabalarken, bizimkiler hiç oralı olmadılar.

-Ahmet Çelebi'yi görmedin mi hocam?.. Üsküdar'a uçayım derken Cezayir'e uçtu. Nemize gerek, peynirli börek...şeklinde düşünmeyi yeğlediler.

Uçmak, bilindiği gibi, yer çekimi gücünün yenilmesidir. Yer çekimini de İngiliz bilim adamı Newton'un kafasına düşen bir elmadan esinlenerek bulduğuna inanılır. Oysa işin aslı öyle değildir elbette.. Newton'un çalışmalarını araştıranlar, kafasına elma düşene kadar iş üzerinde uzun süre kafa patlattığını bilirler. Tam bu konuları düşünürken kafasına ağaçtan elma düşmesi ise işin sadece esprisidir.

Bizimkiler bu tür konulara hiç kafa yormadıkları için, kafalarına düşen elmalar akıllarına elma kompostosundan başka bir şey getirmemiştir.

Diğerlerine gelince...

Haremi zar-zor kaldırdık, ama çok karılılığı hâlâ kaldıramadık. Yeniçerilik de kalktı, ama kazan kaldırma adeti kaldı. Oğlan mahbubluğu ise 'müzik merakı' adı altında hâlâ sürüyor.

Baltacının davranışı Nataşa merakı ile berdevam.

Padişahların haremlerindeki hatun bolluğu içinde, kendilerini heyecanlandırmak için başlattıkları göbek dansı, Viagra bulunduktan sonra işlevini yitirse bile, göz zevki halinde ilgi çekiyor.

'Sallandırma' merakımız biraz törpülendi. İdamı son yıllara kadar sürdürmemizin altında 'eski devlet yönetme alışkanlığımız' yatıyordu. Hâlâ yatmadığı söylenemez. Ne var ki, Avrupa Birliği kuralları elimizi-kolumuzu bağladığı için kendimizi zor tutuyoruz.

Yoğurt ve ayranı da Türkler'in bulduğu ileri sürülüyordu, ama yoğurdun bizden önce bilindiğini kanıtlayan belgeler yeni yeni ortaya çıktı. Ancak ayranı bizim icat ettiğimiz su götürmez bir gerçek.

Nasıl mı? Tahminim şöyle:

Atalarımız Orta Asya steplerinde at üstünde dörtnala fetihlerde bulunurken, yanlarında deve derisinden yapılmış, günümüzün plastik torbalarına benzer torbalarda süzme yoğurt taşıyorlardı. Ayrıca yanlarına su almaları da mantıklı bir durum...

Benim inancıma göre uyanık bir cengaver, bunları ayrı torbalar yerine aynı torbada birleştirince ayranı bulmuş oldu.

Unutmadan... Memurluk da Türkler'den önce bulunmuştu ama, hakkımızı yemeyelim; memura rüşvet vermeyi sanırım biz icat ettik ve günümüze kadar getirdik.

Seyyar satıcılık da Osmanlı'dan kalmadır. Normalde bir şey satmaya karar veren kişi önce kendisine bir yer edinir ki, mantığı şudur:

Müşteri satıcının yerini belleyecek ve söz konusu maddeye gereksinim duyduğu zaman oraya gidecektir.

Seyyar satıcılık durumunda ise satıcının veya satılan malın yeri belli değildir. Bu durumda satıcı ile müşterinin bir araya gelmesi zor veya rastlantılara bağlıdır. Bunun mantıklı olabileceği bir tek durum vardır ki, alıcının da belli bir yerinin olmaması, yani göçebelik durumudur.

Göçebelik Osmanlı döneminde ortadan kalkmış, ancak izleri seyyar satıcılarımız vasıtasıyla bugüne kadar sürdürülmüştür.

'Sokakta limon satsam, geçinirim' lafı, basit bir laf gibi görünse de, aslında içimizdeki göçebe ruhunu dışa vuran derin anlamlı bir yapısı vardır.

Bıyık, sakal, tütün ve kahveye gelince...

Bıyık erkeklerin burunları ile üst dudakları arasındaki bölgede ortaya çıkan tüy grubudur ve salt bizim erkeklerimize özgü değildir. Fakat nedense, hiçbir işlevi yokmuş gibi görünen bu kıl kümesini bizden başka uluslar gereksiz yere taşımamak için çeşitli aletler (ustura, jilet, fırça, kayış, elektrikli traş makineleri, köpükler, jeller vs..) icad ederek ortadan kaldırma yoluna gitmişlerdir.

Bugün dünya üstünde yaşayan tüm erkeklerin her sabah yaptıkları ilk iş bıyık ve sakal kıllarını traş ederek yüzlerini açma girişimleridir. Nedense Türkler sakallarından zamanla vazgeçseler bile, bıyıklarını traş etmeye kıyamamışlardır.

Bu durumun insanlık tarihine bilinen hiçbir katkısı olmamış, ancak Türk erkekleri için bir uğraşı ortaya çıkarmıştır. Bıyıklı erkeklerimiz arada sırada bıyıklarını işaret ve baş parmakları arasında sıkıştırarak çekiştirirler. Buna 'bıyık burmak' denir ve bazı kadınların bu hareketi izlemekten hoşlandığı ileri sürülür. Öyle olmasa bile, kimseye zararı veya yararı olmayan bir harekettir. Belki de hiçbir şey yapmamaktan daha iyidir.

Tütün'ü Türkler bulmamıştır. Ancak diğer uluslardan daha fazla sahip çıkmışlardır... Bilindiği gibi tütün kızılderililer tarafından keşfedilmiş ve bitkinin tahta çubuklara doldurularak tüttürülmesinin insanlar arasında dostluğu geliştireceği sanılmıştır. Ne var ki, tütünün böyle bir işlevi olmadığının en kesin kanıtı, önlerine çıkan herkesle pipo tüttüren kızılderililerin kısa zamanda nesillerinin tükenmesi, üstelik bu işin, dost olmak için karşılıklı pipo tüttürdükleri insanlar (Amerikalılar) tarafından yapılmasıdır.

Kont Nicotin adlı uyanık bir Fransız tarafından 'şifa niyetine' Avrupa'ya getirilen bitkiye, zaman zaman Akdeniz'de dolaşan Osmanlı donanması tarafından el konulmuş ve böylece tütün kızılderiler arasında olduğundan daha fazla bizim aramızda yayılmıştır.

'Türk gibi sigara içer'* lafı batıda atasözü haline gelmiştir. Kızılderililerle benzerliklerimiz bu kadarla kalmamıştır. Zamanı gelince anlatacağım..

'Türk Kahvesi '

Kahveyi de Türkler bulmamış, Yemen'den getirmişlerdir. Bu keyif verici maddeye iyice alıştıktan sonra Yemen'de kahve-mahve yetişmediği, Yemenliler'in de bu nesneyi daha uzaklardan (örneğin Brezilya'dan) getirerek 'Yemen malı' diyerek ve üstüne komisyonlarını koyarak bizi 'yemeye çalıştıkları' anlaşılmıştır.

Türk kahvesini dünya çapında tanıttıktan sonra, Türkler Nescafe'ye geçmişlerdir.

TÜRK MUTFAĞI DA OSMANLILARDAN KALMADIR, ONU ANLATIR.

Dünyada Türk mutfağı diye bir olgu var ve yine Osmanlı Devleti'nden kalma.

Malum, Osmanlı padişahlarının çok sayıda eşleri (zevceleri) ve cariyeleri** vardı.

* 'Fümer comme un Turc...'

** Cariyeliğin anlamı 'bayan hizmetli' dir, ancak Harem'de her türlü hizmeti (!) seve seve gördükleri anlaşılıyor.

Bazı padişahların hareminde 500'ün üstünde kadın bulunduğu söylenirdi ki, bunu duyanlar (elbette) içlerinden derin bir 'oha' veya 'çüşş' sesi geçirirdi.

Haremde ne kadar fazla kadın olursa olsun, özellikle ilerleme dönemlerinde fethedilen bölgelerden -ayrıca- sınırsız sayıda kadın toplanır, bunlar öncelikle Saray'a getirilirdi.

Harem ağaları tarafından gözden geçirilen kadınların en genç ve güzelleri Harem'e sokulur ve bir punduna getirilip Padişahlara sunulurdu.

Padişahlar bu ölçüde kadın bolluğu karşısında epey zor durumda kalırlardı.

Kolay değildi; her şeyden önce göz doygunluğu vardı. Padişah dediğiniz de sonuçta bir insandı. Üstelik çocukluğundan beri kadın bolluğu içinde yaşatılır, Padişah olunca bolluk birkaç katına çıkarılırdı.

Haremde bulunan diğer erkekler (hadımağaları) hadım edilmiş olduğundan, kadınların tümü Padişah'ın gözünün içine veya başka bir yerine bakarlardı.

Göbek dansları ile bir miktar coşturulabilen Padişah'ın gücüne güç katmak için çeşitli macunlar hazırlanırken, Lokman hekimler tarafından güçlenmesi için yemeğe de ağırlık verilmesi öğütlenirdi.

Özellikle 'Lokman Hekimin ye dediği...' şeyler hazırlanırdı.

Ne var ki, hergün baklava-börek olsa yenmez. Padişahın durumu da aşağı yukarı böyleydi. Bunun üzerine ülkenin en iyi ahçıları saraya çağrılır ve Padişah'ın iştahını artıracak yemekler yapmaları için teşvik edilirlerdi.

Bu yarış sonucunda yeni lezzetler içeren yemekler icadedilir ve bunlar 'Hünkar Beğendi', 'İmam Bayıldı', ' Vezir Parmağı ', 'Kadın Göbeği' gibi adlarla Padişah'lara takdim edilirdi.

Çabalar sonucunda ortaya bir Saray mutfağı çıkmıştı ki, yeme de yanında yat...

Ancak bazı padişahların yatak göçürtecek ölçüde iri kıyım olmaları gösteriyor ki, Padişahlar bunların yanında yatmakla yetinmiyorlardı.

Cumhuriyet kurulduktan sonra Saray mutfağının aşçıları da saraydan ayrılıp, ülkenin lokantalarına dağıldı.

Bugün lokantalarımızda yenilen yemekler işte o mutfaktan gelmekle birlikte, Saray'da yenilen yemeklerle pek alakası olmadığı sanılmaktadır.

Çünkü ne o zamanın etleri var artık, ne sebzeleri, ne yağı, ne sütü.. ne baharatı. Her şey hormonlu...

Sadece hormonlu olsa hadi neyse... Bu gıdalardan bazıları da sahte olarak üretiliyor.

Ahçıların çoğu hâlâ Bolulu, ama hiçbiri artık 'kelle gidecek' korkusuyla yemek yapmıyor.

Lokantalar ise belediyeler tarafından bile kontrol edilmiyor; bu işin peşine düşen sadece bir kişi var: Araştırmacı gazetecimiz Uğur Dündar..

Bu arkadaşın lokantalarda yaptığı araştırmalar mutfaklarımızın durumunu ortaya çıkardığı gibi, buna ek olarak böcek bilimine büyük katkılarda bulunuyor. Dünya böcek bilimcileri, henüz bilinmeyen bazı ender türleri, sadece bizim mutfaklarımızda ve Uğur Dündar'ın programlarında görüp, tanıyabiliyorlar.

Lokantalarımız konusuna son bir not daha eklenebilir:

20. yüzyılın son çeyreğinde ABD'de başlayan ve acelesi olan bütün gelişmiş ülkeleri kapsayan 'fastfood' çılgınlığı bizim ülkemize teğet geçer sanılırken öyle olmadı ve şaşırtıcı bir şekilde en büyük ilgiyi bizim buralarda gördü.

Amerikalıların zaman sorunları malum: fazla zamanları yok. Çünkü Ay'a gidiyorlar, Mars'a gitmeye uğraşıyorlar. Hem kendi ülkelerini, hem bütün dünyayı yönetiyorlar. Afganistan'ı, Irak'ı, Kuveyt'i, Somali'yi -haydi, dilimin altındaki baklayı da çıkarayım- ve bizi kurtarıyorlar. Bu nedenlerle yemek yerken fazla zaman kaybetmek istemiyorlar veya zaman kazanmak için hızlı beslenmeyi icad ediyorlar.

Bizim ise böyle bir sorunumuz yok. Neden tadını çıkara çıkara yemiyoruz da tıkınıyoruz? Acelemiz ne? Başta İstanbul olmak üzere ülkenin bütün lokantaları birer fastfood cenneti olma yolunda. Neredeyse her şey 'ekmek arası...' Bu yolla dünyanın zamanını kazandık. Ancak kazandığımız zamanı ne yapacağımızı bilmiyoruz.

Ülkenin tanınmış lokantaları aşağı yukarı bir asırda zar-zor oluşturulmuş 'Osmanlı Mutfağı' imajını, ayaküstü beslenilen börekçi-salepçilere dönüştürdüler.

Bunlardan birinin hızlı yemek servisinde tabldotun en başına yerleştirmiş olduğu yemeğin 'Hünkarbeğendi' olması yaşanan büyük değişimin en önemli göstergesi...

Hiç kuşkum yok, bu yemek bu kadar hızlı servis edilseydi, Hünkar beğenmezdi.

Zira ben bile beğenemedim.

OSMANLI'DAN KALAN MEMUR ZİHNİYETİNİ VE YAN ÜRÜNÜ OLAN RÜŞVETİ ANLATIR.

Üçkâğıtçı politikacıların gurusu Niccolo Machiavelli 'Il Principe- Hükümdar' adlı yapıtında 'Amaç vasıtayı meşru kılar' demiştir.

Gerçi Machiavelli bu lafları İtalyan yöneticiler için kullanmıştı, ama nedense bizde daha çok benimsendi.

Ve yine Machiavelli kitabını ve içindeki bazı ahlaksız prensipleri, işlerin ülke çıkarına uygun yürütülmesi için yazmıştı, ama bizimkiler kamu yönetiminde ne kadar prensip varsa hepsini tek sözcükle ifade etmeye başladılar: Rüşvet..

Rüşvet yeni bir şey de değildi ve belki bu topraklarda Machiavelli'den önce bile vardı.

Fuzuli 'Selam verdim rüşvet değildir deyu almadılar' sözünü 1534' de yazdığı Şikayetname'sinde dile getirmişti ki, o devirlerde bir lafın divan şiirine girmiş olması, çok uzun zamandan beri biliniyor olmasını gerektiriyordu.

Machiavelli de 'İl Principe'yi aşağı yukarı aynı tarihte yazmıştı. (1532) Kolayca anlaşılacağı gibi, italyanca bir kitabın o tarihte Osmanlı İmparatorluğunda bilinir hale gelmesi için aradan yüzyıllar geçmesi gerekti. Zaten henüz bize matbaa gelmemişti. İşin kötüsü İbrahim Müteferrika'nın bile gelmesine (Macaristan'dan) daha asırlar vardı.

Zaten kamu vicdanında hazır bir ortam vardı. Sanırım 'minareyi çalan kılıfını hazırlar' sözü bu topraklarda cami inşaatlarına ilk başlandığı günlerden beri vardı.

Ayrıca 'paranın açmayacağı kapı yoktur' lafı içimize işlemiş durumdaydı.

Bütün bunların üstüne bir de 'Benim memurum işini bilir 'diyen bir Cumhurbaşkanını ekleyin.. Ve devlet dairelerinin halini düşünün.

Bana öyle geliyor ki, bugün yeni bir şair çıksa şöyle bir mısra bile döktürebilir:

'Selam verdim, rüşvet zannıyla aldılar...'

RÜŞVET NEDİR?: En kısa tanımıyla memur maaşlarının bir tür yan ödemesidir. Diğer yan ödemelerden farkı belli bir miktarının, ölçüsünün ve zamanının olmamasıdır.

RÜŞVET NASIL VERİLİR?: İlk başlarda gizli verilirmiş. Eskiden en sık görülen şekli sigara paketi, mendil vs. içinde verilmesiydi. Enflasyon artıkça sigara paketleri ve mendiller ihtiyacı karşılayamaz duruma geldi ve sigara kartonları, torbalar, sigara 'box'ları ve çuvallar içinde verilmeye başlandı.

Daha sonraları Türk milletindeki 'yiğidin malı meydanda olur' anlayışı içinde rüşvetin gizlisi-saklısı kalmadı. Derken belgesi bile ortaya çıktı. En sonunda 'noter tasdikli' olanı dahi görüldü.

Son zamanlarda fazla yer tuttuğu ve memurun ceket ceplerini bollaştırdığı gerekçesiyle dövize geçildi.

RÜŞVET NASIL ALINIR?: Paralar alınır, sayılır, cebe atılır.

RÜŞVET NASIL YENİLİR?: Afiyetle... Düşük maaşlı memur Boğaz'da yalı dairesi tutup, oturur. Akşamları Reina'da veya Laila'da eğlenir, Âlem'de âlem, Hammam'da hamam yapar. Murat'tan iner Jaguar'a biner. Milletin aklı almaz:

-Allah Allah... Memur maaşı amma bereketliymiş yahu... demeye başlar.

MEMUR RÜŞVETİ GÖRÜNCE NE YAPAR?: Çoğu normal karşılar, ancak namuslu bir memursa şöyle bir silkinir ve ciddileşir. Önüne konan paraya göz ucuyla baktıktan sonra

- Siz memura görev başında rüşvet mi teklif ediyorsunuz, bayım? diye sorar.

Karşı taraf

-Evet, rüşvet teklif ediyorum, var mı bir diyeceğiniz? deyince memur

-Yoo... Laf olsun diye sormuştum... der.

Memurun rüşvet istediği nasıl anlaşılır : Aslında apaçıktır. Eğer hâlâ anlamayanlar varsa küçük işaretler verilir.

İşte o işaretlerden bazıları:

-Memur evraka bakacağı yerde pencereden bakar.

-Tam imza atacağı sırada kaleminin mürekkebi biter. İşi takip eden kişi hâlâ anlamamakta direnirse

-Vallahi maaşlar o kadar az ki, mürekkep bile alamıyoruz.. denir.

İş takipçisi yine uyanamayıp kendi kalemini memura uzatıyorsa o zaman da

-Çüşş... denir.

Yine anlamıyorsa evrakı çöpe atılır.

BİR MEMURUN RÜŞVET YEDİĞİ NASIL ANLAŞILIR?: Eğer kıskanç bir eşi yoksa kolay kolay anlaşılmaz. Giderek zenginleştiği görülse bile hayra yorulur.

-Miras kalmıştır.

-Milli piyango çarpmıştır.

-Biriktirmiştir, denir.

Memur yeni evlendiği eşiyle balayını Uzakdoğu'nun uzak bir köşesinde geçiriyor olsa bile iyi niyetli davranılır:

-Helal olsun adama üç kuruş maaşla amma uzaklara gitti.. diye düşünülür.

BİR MEMURUN RÜŞVET YEMEDİĞİ NASIL ANLAŞILIR?: Bir memurun rüşvet yememesi için hiçbir neden yoktur. O yüzden rüşvet yememekte direnen bir memur çıkarsa, aklını peynir ekmekle yediğine inanılır.

Meczup, şizofren vs. sanılır. En azından depresyona yakalandığı anlaşılır ve tedavi altına alınır.

Şefleri tarafından bir akıl hastanesine yatırılır; eğer iyileşirse normal memurların arasına katılır.

BİZİ KİMLER YÖNETTİ? BU HALİMİZ NE? SUÇ KİMDE? ONU ANLATIR...

Her ne kadar Atatürk'ün Türkiye Cumhuriyetini kurmasıyla ülkenin yönetiminde büyük değişiklikler olduysa da, Osmanlının devlet yönetme anlayışının kalıntıları günümüze kadar sürmüştür.

Mustafa Kemal Atatürk ve İsmet İnönü genç Türkiye Cumhuriyeti'nin ilk liderleri oldular. Milletimiz onları politikacı saymaktan çok ülkenin kurucuları olarak gördüler.

Daha sonra politikacılar ortaya çıktılar. Adlarını vermek gereksiz, ama tipik bir-iki örnek vermekten kaçınmanın da gereği yok!.

En sevilen politikacılardan biriydi. Adı 'Baba'ya çıkmıştı. Türkiye Cumhuriyetinin 80 yılının yarısına damgasını vurmuştu. Sevilmesinin nedeni ise sanırım şuydu:

Bir felaket olmasın, felaketzedeler daha kendilerine gelmeden o, felaket bölgesine varmış olurdu. Yolda gelirken helikopterinin penceresinden etrafı seyreder, deneyimli gözleriyle felaketin bilançosunu 'şıp' diye tahmin ederdi. Meydanda toplanan ahaliye

-Zarar (misal) 200 trilyon... derdi.

Elbette bu bilgi felaketzedelerin hiçbir işine yaramazdı, ama söz konusu zarar, devletin bir büyüğü tarafından saptandığına göre yardım yapılacak diye beklerlerdi.

Sonra gözleri yolda çadırları, battaniyeleri, aşevlerini beklerken Baba bir saptamada daha bulunurdu:

-Tahribatın nedeni sel sularının dere yatağından taşmasıdır... (eğer bir sel felaketi yaşanmışsa)

Felaketzedeler rahat bir nefes alırlardı. Suların içinde dolaşırken

-Bu bela bizim başımıza nereden geldi diye düşünüyorduk, demek nedeni buymuş... diye düşünürlerdi.

BANA MUHTAR BİLE
OLAMAZ DEMİŞLERDİ
ŞÜKÜR ALLAHIMA
THE TÜRKLER
BENİ BAŞBAKAN
YAPTI...

Baba son olarak

-Akacak kan damarda durmaz. Hepinize geçmiş olsun... diyerek felaketzedelere veda ederdi. O zaman felaketzedeler

-Akacak kan damarda durmuyor. Akacak nehir de yatağında durmuyor. Demek o yüzden biz de yataklarımızda duramıyoruz... diye düşünürlerken yardım yerine, karşılarında 'Baba'yı bulmanın rahatlığını duyarlardı.

Bir diğeri ise 'Karaoğlan' diye anılırdı ve kafasını 'köykent'lere takmıştı. Sonunda amacına ulaşmış, fakat galiba küçük bir yanlışlık yapmıştı: zira ortaya 'kent-köy'ler çıkmıştı.

Politikacı karakterlerimiz hakkında, ülkemizde görev yapan yabancı diplomatların birbirine aktardığı bir anekdot vardır. Yeri gelmişken ondan da söz edeyim.

Ankara'da uzun yıllar görev yapmış yabancı bir diplomat emekli olduktan ve aradan epey zaman geçtikten sonra yeniden ülkemize gelir ve karşılaştığı bir dostuna şu soruyu sorar:

-Sizin iki politikacınız vardı. Biri romantik, diğeri klasikti. Ne oldu onlara?

Şu yanıtı alır:

-Romantik olanın 'roman'ı gitti, tik'i kaldı. Klasiğin ise klas'ı gitti, geriye kalana da biz kibarca 'Baba' diyoruz.

TÜRKLER ASKER MİLLETTİR, ONU ANLATIR.

Osmanlılar işin kolayını bulduklarını sanmışlardı; müslüman olmayan ailelerin çocuklarını küçük yaşta orduya alıyor, paralı asker (yeniçeri) olarak yetiştiriyor ve -laf aramızda- 'kefereyi kefereye' kırdırıyorlardı.

Ancak Osmanlı'nın son zamanlarında gerileme devrine girilince durum değişmiş, Yeniçeri Ocağı çığrından çıkmıştı. Paradan başka bir şeyi gözü görmeyen yeniçerilik anlayışı modern Türkiye Cumhuriyeti'nde yerini salt 'vatan için' yapılan parasız askerliğe bıraktı.

Askerlik Türkler için en önemli konulardan biridir. Özellikle erkekler açısından.. Çünkü her erkek 'seve seve' askerlik yapmak zorundadır. Olayın kadınları ilgilendiren bir yanı da vardır: Henüz askerliğini yapmamış erkeklerle nişanlanan veya evlenen kadınlar da askerlik süresi boyunca 'gel tezkere gel' nakaratına başvururlar.

Askerlik yaşamı erkekler açısından çok önemlidir.

Bir buçuk yıl boyunca süren erkek erkeğe bir yaşam, ortada bir savaş olmasa bile kolay kolay unutulmaz.

İnanılmaz yoğunlukta anılar biriktirilir, bunlar yaşamın sonuna kadar anımsanır ve anlatılır.

-Tertip, hatırlıyor musun asılmıştık kur'a torbalarına; ben evimin karşısındaki Rami kışlasını çekmiştim. Sonra sen asılmıştın. Nerede bu Beytüşşebab diye günlerce haritadan kafamızı kaldıramamıştık.

-Ben de hiç unutmam, gece talimine çıkmıştık. Sürün Allah sürün. Bir de baktık ki, sınırı geçip, düşman arazisine girmişiz. Az kaldı savaş çıkarıyorduk.

Son zamanlarda bu tür anıları ortadan kaldıracak bir tehlike belirmişti, fakat kısa zamanda ortadan kaldırıldı: paralı askerlik ve dövizle askerlik.

Paralı askerlik para karşılığında süreyi kısaltmak anlamına geliyordu ve sanırım bir ayı bile bulmayan sürelerde vatan borcu tamamlanıyordu.

İlk başlarda paralı askerlikte askerlik anıları oluşmaz, güzel bir gelenek ortadan kalkar gibi düşünüldüyse de, öyle olmadı.

Paralı askerliğin de kendine özgü anıları oluyordu.

Şöyle şeylerdi:

-Tertip, hatırlıyor musun, senin paran yetmemişti de üstünü ben tamamlamıştım. Sonra sen vatan borcunu bana yavaş yavaş ödemiştin.

Veya şöyle:

-Hey gidi günler... Hiç unutmam insanın iliklerine kadar işleyen soğuk bir kış günüydü. Kar en azından 2 metreyi bulmuştu. Biz talimdeyiz. Ayağımda postallarım, sırtımda parkam, başımda şapkam yola çıktım. Doğru bankaya. Parayı ödeyince vatan borcu sona erdi. Ben yine Uludağ'a döndüm. Kayak öğretmenimle kayma talimlerine devam ettim.

-Seninki de bir şey mi birader? Benim askerliğim gelip çattığında mevsim yazdı. Hava nasıl sıcak anlatamam. Buram buram terliyoruz ve yerlerde sürünüyoruz, ama vatan borcu bu. Mecburen ödeyeceksin. O sıcakta giydim ayağıma sandaletleri-

mi, altımda şort, üstümde tişort. Doğru tatil köyünün bankasına. Oradan vatan borcumun taksidini Merkez Bankası'na havale ettirince üstümden nasıl bir yük kalktı anlatamam. Şonra yine döndüm plaja ve kumlarda sürünmeye devam ettim.

DARBELER KADER Mİ, DEĞİL Mİ, ONU ANLATIR.

Askeri darbeler Cumhuriyet'ten sonra ortaya çıkmış bir özelliğimiz gibi görünse de, aslında Osmanlı'daki yeniçeri kazan kaldırmalarının bir devamı gibidir. Osmanlı Devleti'nde şöyle bir usul vardı:

Daha adı bile konulmamış, o nedenle ülkenin mali kuruluşları tarafından dahi bilinmeyen enflasyon, madeni paraların içindeki maden miktarının azaltılmasıyla sağlanırdı. Örneğin yeniçeri örgütüne dağıtılan altın ve gümüş paraların içindeki altın ve gümüş miktarının azaltılmasıyla...

Asker anlamasa bile esnaf bu azalmanın farkındaydı elbette ve maden miktarının eksilmesiyle ters orantılı şekilde fiyatları arttırıyordu. Yeniçeri ise günden güne eriyen alım gücüne bakarak bir şeyler olduğunu sezinliyordu.

Bir süre 'Ya sabır' çektikten sonra, hoşaftaki yağ miktarını bahane ederek isyan bayrağını açıyordu. Bu iş şöyle oluyordu:

Yeniçeriye dağıtılan pilav ve hoşaf aynı kepçe ile yemek kaplarına konulurdu. O yüzden pilavdaki yağ miktarına göre hoşafın üzerinde de bir yağ tabakası oluşurdu.

İşte bu yağ kesilince (ki bunun anlamı pilava yeterince yağ konulmadığı, dolayısıyla askerin iaşesinden kesildiğiydi) Yeniçeri'nin kazan kaldırmasının zamanı gelmiş olurdu.

Bunun bir başka sonucu ise kısa sürede Yedikule zindanlarında boğulmaya götürülecek olan padişahta da 'hoşafın yağının kesilmesi' olurdu.

Yeni padişah gelince yeniçerinin durumu bir miktar düzeltilir, hoşafın yağı yeniden görününce, keyifler de yerine gelirdi.

Elbette demokratik cumhuriyetimizde darbeler 'hoşaf yağı' yüzünden meydana gelmedi, ama aynı alışkanlığın sonucu olabilir. Yoksa neden, hiçbir demokratik ülkede rastlanmayan askeri müdahaleler bizde bu kadar sıklıkla ortaya çıksın?

Bizdeki darbeler kendi aralarında birkaç türe ayrılır.

'Pat' diye gelen darbe: İlk ve en önemli örneği 27 Mayıs 1960 Devrimi'dir. İlk olduğu için geleceğini kimse tahmin edememiştir.

O kadar ki, sonradan kendisi de bir askeri darbe yapacak olan Kenan Evren o tarihte yüksek rütbeli bir subay olduğu halde, 27 Mayıs 1960 Devrimi'ni anılarında şöyle anlatmıştır:

-Bana ihtilali ilk haber veren sabaha karşı 04.00'de kapı komşumuz oldu. O kalkıp radyoyu dinlemiş, bize de açın dediler. Radyoyu açtığımızda ordunun yönetime el koyduğunu öğrendik netekim..('Anılar', Yazan: Kenan Evren, Cilt 2)

Menderes-Bayar iktidarını alaşağı eden 27 Mayıs Devrimi sırasında herkes -yapanlar dahil- işin acemisi idi. Bu yolla kurtulacaklarını sandıkları politikacıları yargıladılar, bazılarını astılar ve daha sonra ülkeyi Süleyman Demirel'e teslim ederek, kendilerini 'tabii senatör' yaptılar.

'Çat' diye gelen darbe: Elbette gelenin kim olduğunu daha bilmiyorlardı. Gideni aratacağını tahmin etmiyorlardı. O yüzden aradan 10 yıl geçtikten sonra askerler bu kez 12 Mart 1971'de 'çat' diye geldiler.

Bu darbe aşırı ses çıkardı, ama bir sonuç ortaya çıkarmadı.

İş başındaki yönetim bile neden darbe yapıldığını anlayamadı. Darbe yapıldığında iş başında olan Demirel, darbe sona erdiğinde yine iş başındaydı. Sadece kısa bir süreliğine gidip gelmişti. Temelli gidenler darbeyi yapan askerler oldu.

Kenan Evren yine boş bulunmuştu. Anılarında anlattığına göre o sırada tümgenerallikten korgeneralliğe geçmek üzere olduğu halde, olayın farkında olmamış ve darbenin dışında kalmıştı. Zaten o yüzden Ordu'dan istifa etmek zorunda kalmamıştı.

'Geliyorum' diyen darbe: 12 Eylül 1980'de yapılan üçüncü darbe adeta 'geliyorum' diyerek geldi.

İlk iki darbeden haberdar olmayan Evren bu kez darbeyi bizzat yaparak herkesten önce öğrenmeyi başardı. Ancak başka öğrenenler de vardı. Örneğin darbeden önce Süleyman Demirel'e de bir uyarı mektubu verilmişti.

Herkes tetikteydi, gazeteciler sabaha karşı uyanıp 'tank sesine' kulak veriyorlardı. Süleyman Bey ise her zaman olduğu gibi hiçbir şeye kulak vermiyordu.

Çünkü ülkenin başına gelen ilk iki darbeden sonra deneyim kazanmıştı.. Gözaltına alındığı Zincirbozan'da fazla zaman kaybetmeden yeni hükümetin planlarını yaparken, askerler de yerlerini sivil politikacılara bıraktılar. Onlar iktidarı Turgut Özal'a bıraktıklarını sandılar, ama bir süre sonra iş başına yine Demirel geldi.

'Gelmiyorum' diyen darbe: 28 Şubat 1997'de bir darbe daha oldu, ama bu darbenin özelliği bir türlü gelmemesiydi.

Sincan'da tanklar yürüdü, Milli Güvenlik Kurulu'nda konuşmalar oldu, ama darbeciler 'gelmiyoruz' diyerek ayak dirediler. Sonunda hükümet kendi isteğiyle geri çekilmek zorunda kaldı.

Ondan sonra daha birçok darbe olasılığı doğdu, ama bunlar da 'gelmiyorum' türünden olduklarından bir türlü gelmediler.

'Gel artık' denilen darbe: Bir süreden beri darbe konusunda 'gel artık' diyenler var. Ancak darbeciler başlarına neler geleceğini bildiklerinden gelmemekte direniyorlar.

Yeri gelmişken şunu da ekleyeyim: Biz millet olarak darbeleri hiç sevmeyiz. Sevmeyiz, ama duygularımızı da belli etmeyiz. Bir darbe olduğunda bizi uzaktan izleyen biri camlara, kapıları bayrak astığımızı, ' Ordu-asker çok yaşa... Ordu-millet ele ele' şeklinde tezahürat yaptığımızı, erkek çocuklara sünnet törenlerinde orgeneral elbisesi giydirdiğimizi görünce bizim darbeleri sevdiğimizi zannederse de, asıl düşüncemizi birkaç yıl sonra ortaya koyduğumuzda ne kadar yanıldığını anlayabilir.

Çünkü birkaç yıl içinde, ordunun tasviye etmeye çalıştığı politikacıları gene baş tacı ederiz. Hatta onlarla 'gurur' dahi duyarız.

3. BÖLÜM

ATATÜRK GELDİ, HOŞ GELDİ!
GELİNCE NELER OLDU,
GİDİNCE NELER OLDU,
ONU ANLATIR..

Baştan beri anlattığım nedenlerle olanlar oldu ve Osmanlı İmparatorluğu yıkıldı. Atatürk çıkageldi ve çağdaş Türkiye Cumhuriyeti'ni kurdu..

Büyük önderimizin ulusumuza gösterdiği ilk hedef: Akdeniz'di.

Hedef aşağı yukarı tutmuş sayılır. Bayramda, seyranda, yıllık - haftalık tatillerimizde ve geriye kalan zamanlarda Akdeniz'in yolunu tutuyoruz. Bu uğurda verdiğimiz zayiat, neredeyse Atatürk'ün ordularıyla Akdeniz'e doğru yol alırken verdiği kayıpları geçti.

Üstelik O 'vatan-millet' uğruna onca zayiata razı olmuştu. Bizim ise tatil yapmaktan başka bir amacımız yok.

İkinci öğüdü:

'Türk öğün, çalış, güven' şeklindeydi. Şimdilik sadece ilk bölümüne uyuyoruz. İnşallah diğerlerine de sıra gelecek.

Atatürk'ün gelişiyle ortaya çıkan önemli bir gelişme de ülkenin adının değişmesi oldu.

'Türkiye' adı doğdu, ama sonra ne olduysa 'Turkey- Hindi' oldu..

Üstelik yabancılar her Noel, Yılbaşı ve Şükran gününde bizden söz ederek kafamızı bozuyordu.

Ülkemizin hindilerle bir ilişkisi olmadığı halde neden Türkiye'ye hindi deniyordu?

İşin tuhafı, biz de Hindistan'a hindilerle hiçbir ilişkileri olmadığı halde 'hindi diyarı' diyorduk

Bunun nedeni anlaşılabiliyordu:

Hindi Amerika kıtasının keşfi sırasında İspanyollar tarafından orada bulunmuştu.

Ancak İspanyollar henüz Amerika'yı keşfettiklerinin farkında değillerdi. Hindistan'a ulaştıklarını sanıyorlardı.

O yüzden Hindistan'dan getirildiğini sandığımız hayvana bizim hindi adını takmamız anlaşılır bir durumdu.

Peki bir Amerika yaratığı olan ve Hindistan'dan getirildiği söylenen bu kuşa, yabancılar neden 'turkey' demişlerdi. Orası biraz karışıktı.

Anlatılan öyküye göre Amerika'yı talan eden Cortez'in adamları hindiyi de, Mayaların ve Azteklerin altınlarıyla birlikte gemilerine doldurup İspanya'ya götürmek istemişlerdi. Büyük olasılıkla, yolculuk boyunca kesip yiyeceklerdi.

Ne var ki, o sıralarda Osmanlı donanması ortalığı kasıp kavuruyordu.

Artık hangi seferde ve kim tarafından bilinmez, İspanyol gemileri donanmamız tarafından ele geçirilmiş ve içindekilerle birlikte hindiler de İstanbul'a getirilmişlerdi.

Altınlar ve güzel kadınlar Saray'a teslim edilirken, hindiler vatandaşlarımız tarafından beslenip çoğaltılmıştı..

Aynı dönemde imparatorluğun başkentinde 'Kapitülasyonlardan ne kapabiliriz?' diye dört dönen İngiliz tacirleri, ilk kez bizde rastladıkları hayvanı, Türkiye'ye özgü bir kuş sanıp 'turkey' adını takmışlardı.

Bütün bu varsayımların sadece benim tahminim olduğunu belirttikten sonra şunu da ekleyeyim:

Biz uzun yıllar bu adın üzerinde pek durmadık. Son zamanlarda nedense ansızın celallendik.

Oysa ne var bunda? Aynı şeyi biz de Hintliler'e yapıyoruz.

Bu hayvanın Hindistan'la da hiçbir ilişkisi yok, ama biz de onlara hindi (veya Hintli) diyoruz. Henüz bir Hintii'nin bu duruma sinirlendiğini ben duymadım. Ayrıca biz bu ülkeye başka bir haksızlık daha yapıyoruz. Hindistan'ın kendi dilindeki adı olan 'Baharat'ı, bu ülkeden gelen otlarla karıştırıyoruz. Mısır'ı ise, arapça adı olan 'Mısr-ül Arabiye'nin (Arap Devleti) bitki adı olan mısırla bir alakası olmadığı halde, kolayımıza geldiği için öyle anıyoruz.. Yine kimsenin bize bir şey dediği yok.

ZAMANE TÜRKLER'İNİN HALLERİNİ ANLATIR...

Eski öyküleri bırakıp günümüz Türkiye'sine gelirsek...

Bize sorarsanız, bugünkü Türkiye jeopolitik konumu nedeniyle dünyanın gözlerinin bir an bile üzerinden ayrılmadığı bir yarımadadır. Yabancılarla yapılacak kısa bir görüşme bu görüşü doğrulayacaktır.

Kültürü geniş olan yabancılardan bazılarına göre Türkiye Güney Amerika'nın bir yerinde olabilir, ama tam neresinde olduğunu bilemeyebilirler. Bazıları da Afrika'nın ortalarında olduğuna kesinlikle emindirler, ama size enlemini ve boylamını veremeyebilirler..

Son Körfez savaşlarına kadar Amerikalılar bu soruya başka bir soruyla karşılık veriyorlardı:

-Türkiye mi? Yeni bir traş makinesi markası mı acaba?

İşte böylesine gözleri üzerimizdedir bütün dünyanın. Bunun de nedeni ülkemizin doğal güzellikleridir...

Irak savaşından sonra Hanyayı-Konyayı biraz öğrendiler. Şimdi en azından Irak'a komşu olduğumuzu biliyorlar.

Türkiye'nin üç tarafı denizlerle çevrilmiş bir yarımada olduğunu daha önce belirtmiştim. Son yıllarda uzaydan çekilen fotoğraflarda bu gerçek son derece açık bir şekilde görülmektedir. Ve kıyılarımızda durup, dürbünle çevreyi seyrettikten sonra galiba burada deniz yok diyenleri mahcup etmektedir. Evet, denizlerin önünü biraz kapatmışızdır ama, insan uğraşırsa Çin Seddi'nden çok daha alçak duvarları aşıp, bir kaç villa arazisini geride bıraktıktan sonra denize ulaşabilir.

Salt deniz mi? Ülkemizin havasına ne demeli. Çok hassas laboratuarlarda yapılan araştırmalar büyük kentlerimizin havasında bile bir miktar oksijen kaldığını ortaya koymaktadır.. Ne yazık ki, havanın sis basmış gibi olan rengi biraz zihinleri bulandırmaktadır. Fakat bunun da güzel bir tarafı vardır. Böylece sokakları boydan boya dolduran çöp yığınlarının görülmesi zorlaşmakta, insanın doğayı doya doya seyretme zevki zedelenmemektedir..

Günümüz Türkler'ine gelince.. Bu kitabımın esin kaynağı olan Aziz Nesin, zekâmız ile ilgili bir laf etmiş ve çoğunluğumuzun (yüzde 60) aptal olduğunu söyleyerek çoğumuzu kızdırmıştı.

Ben kimseyi kızdırmamak için oran vermeyeceğim.

Çünkü hangi oranı verirseniz verin, tartışılabilir; ancak bir bölümümüzde bir farklılık olduğu apaçıktır. Zira bazılarımız çağdaş uygarlığa doğru yol almaya çalışırken, bir bölümümüz Ortaçağın bile gerisine düşmeye çalışmakta, sonuçta iki görüşün çekişmesi sonucu ülke, çağdaş 18. Yüzyıl uygarlığına doğru yol almaktadır.

BİZ KİME BENZERİZ, ONU ANLATIR.

Türkler'i başka bir ulusun fertlerine benzetmek olanaksızdır. Yabancıların sık sık sorduğu 'Türkler nasıl bir millettir?' sorusuna bugüne kadar verebildiğimiz tek yanıt ' Biz bize benzeriz' olabilmiştir.

Şu özelliklerimizle başka ne diyebilirdik ki..

- Sevdiğimizi öldürür (aşk cinayetleri), sevmediğimizi yaşatırız.

- Evimize gelen yabancıya varımızı yoğumuzu yedirir, (konukseverliğimiz), sonra iş yerimizden alışveriş ederken kazıklarız (turistsevmezliğimiz).

- Birkaç lira için adam yaralar, başka bir ortamda hesabı ödemek için birbirimizin boğazına sarılırız.

- Vapura, otobüse binerken birbirimizi yeriz, içerde birbirimize yer vermek için kendimizi öldürürüz.

-Karnımız aç gezerken çatımıza çanak anten taktırır, tuvaletsiz gecekonduda DVD seyrederiz.

- Kafamızı işleterek kiremitten kırmızı biber, kireçten asprin, kırmızı boyadan salça, ekmekten köfte yaparak geçinmenin yolunu buluruz. Bu malları sattıktan sonra elimize geçen parayla at-eşek etinden sucuk pastırma alırız.

-Elektrik tasarrufu için iki ampulden birini söndürürken, gündüzleri çevre yollarında iki ampulden birini açık unuturuz.

Diğer işler de kendimize özgü yöntemlerle yapılır. İşte bazı örnekler...

Doğa nasıl korunur?

'Yeşili sevin, doğayı koruyun' türünden afişler hazırlanır. Bunlar yeşil alanların ortasına dikilen fabrikaların duvarlarına asılır. Doğa ise doğayla baş başa bırakılır.

Mafya operasyonu nasıl yapılır?

Birbirleriyle kapışan mafya babaları ambulanslara bindirilerek hastanelere götürülür. Burada kendilerine 'operasyon' yapılarak vücutlarındaki kurşunlar çıkarılır.

Güldürü dizisi nasıl yapılır?
TV yöneticileriyle bir masaya oturulur, hızlı pazarlıklar yapılır. Dizi başına yüklü bir miktar koparılınca yapımcıların yüzü güler. Bu yüzden halkı güldürmese de bu dizilere 'güldürü dizisi' denir.

Özelleştirme nasıl yapılır?
En çok kâr eden kamu kuruluşları seçilir. Başlarına ülkenin en yeteneksiz yöneticileri getirilir. Kâr etmenin önüne geçemezlerse hemen değiştirilir. Yerlerine daha kötüleri getirilir. Yine başa çıkılamazsa özelleştirilir.

Zam nasıl yapılır?
Türkçe sözlük açılır. Özel adlar ve coğrafi adlar çıkarıldıktan sonra geriye kalanlar alt alta yazılır. Yanlarına zamlı fiyatları eklenir..

Dış ilişkiler nasıl yürütülür?
Yabancı ülkelerin başbakanları veya devlet başkanları ülkeye çağrılır. Veya onların ülkelerine gidilir. Birlikte çay-kahve içilir, şerefe kadeh kaldırılır. Karşılıklı sorunlar sayılır ve herkes kendi ülkesine döner.

Yol nasıl yapılır?
Birkaç işçi toplanır, ellerine kazma-kürek verilir. Sokağın kazılmasına başlanır. Bu iş bittikten sonra işçilerin parası ödenir. İyice çukurlaştırılan yol halkın hizmetine sunulur.

Memleket nasıl kalkınır?
5 veya 10 yıllık planlar yapılır. Sonra bunlar raflara kaldırılır. Üzerleri iyice tozlanınca yenileri yapılır. Bu arada memleket kalkınırsa ne ala, kalkınmazsa işin içinde 'bit yeniği' aranır.

Solculuk nasıl yapılır?
Önce 4 ayrı gruba ayrılınır. Oylar 4'e bölününce herkes birbirini yemeye başlar. Böylece sağ partilerin iktidara gelmesi sağlanır.

Asgari ücret nasıl saptanır?
Bir işçinin geçinebilmesi için asgari koşullar bulunur. Ortaya çıkan rakam daha sonra 'çok' bulunur.
-En iyisi yarısını verelim... denir. Diğer yarısı da her olasılığa karşı vergi diye kesilir.

Devalüasyon nasıl yapılır?
Ülkenin kıt kaynakları ile yabancı ülkelerden zar zor alınan borç paralar eşe-dosta teşvik, kredi, hibe, 'yap-işlet-deve et' şeklinde dağıtılır. İstemeyen olursa 'ölümü öp' diye ısrar edilir. Faiz ödemek isteyene ise küsülür. Parayı alan ortadan kaybolmuşsa 'Elma dersem çık..' yöntemiyle aranır. Bulunamazsa devalüasyon yapılır.

Vergi reformu nasıl yapılır?
Kendi kendini vergilendiren vatandaşların sayısı azalınca, vergi reformu yapmanın zamanı gelmiş demektir. İlgili makamlar tarafından, vergi verme potansiyeli taşıyan herkesin parasını yurt dışına kaçırmasına yol açacak ne kadar önlem varsa alınır. Vergi daireleri de ona göre düzenlenmiştir zaten. Parasını yurt dışına kaçıramayan ve vergi ödemek zorunda kalanlar da bu yolla kaçırılır. Böylece vergi reformundan sonra vergi gelirleri azalmaya başlar. Bunun üzerine yeni bir vergi reformu yapmak için kollar sıvanır.

Viagra nasıl sağlanır?
Vatandaşın bilmem nesine kadar düşünen hükümetin sağlık bakanlığı Viagra ithaline izin verirken, ilacın alınmasını tam teşekküllü bir hastaneden sağlık raporu alınmasına bağlar.
Belinden aşağısında sağlık problemi olan vatandaş sağlık kuruluna başvurur ve sırayla doktorların kapısında kuyruğa girer..
Örneğin kulak-burun-boğazcı'nın kapısında kuyruk olup, ağır işitme sorunlarını tedaviye gelmiş olanlar bizimkine 'Hayrola.. Hemşerim, senin neyin var? diye sorarlar.
Hasta da 'Bir şeyim yok, hatta viagram bile yok ' deyince kulakları ağır işittiği için yanlış duyduklarını sanırlar. Sonunda kulak-burun-boğazcı hastayı görür ve viagraya ihtiyacı olup ol-

madığını araştırır. Sonra kendisini kadın hastalıkları uzmanına havale eder.

AB'ye nasıl girilir?

Önce AB'ye başvurularak aday sıra numarası alınır. Daha sonra ne yapıp edip ağızlarından bir de söz alınır. Şöyle:

-Tamam sizi AB'ye alacağız, ama önce ekonomik durumunuzu düzeltin. İnsan haklarını sağlayın. Sağlık ve eğitim sorunlarınızı çözün. Düşünce suçlularını hapisten çıkarın, Kıbrıs sorununa çözüm arayın, Yunanistan'la dalaşmayın, ABD ile iyi geçinin. Uyuşturucu satıcılarını korumayın. Apo'yu asmayın. Ve amuda kalkıp ellerinizle macarena dansı yaparken, ayaklarınızla da hulahup çemberi çevirin.

Bunları yapabilirseniz şöyle denir: 'Bravo başardınız. AB'ye girmeye hak kazandınız, fakat bu yüzyıl için artık çok geç.. Gelecek yüzyılda icabına bakarız.

Laiklik nasıl korunur?

Ülkenin her yanına 80 bin kadar cami yapılır. Bol bol Kuran kursu ve imam-hatip lisesi açılır. Ardından laik cumhuriyetin korunacağına dair Kuran'a el basılır. Bu kadar önleme rağmen ülkenin hâlâ şeriata doğru gittiğinden kuşku duyulursa, Allah'a bizi laiklikten ayırmasın diye dua edilir. İcabında laiklik duasına çıkılır. Hâlâ laik olmayanlar varsa, bunların başlarına da türban örtülerek Eyüp Sultan'da kurşun dökülür. Yine olmazsa Hazreti Muhammed'in sakal-ı şerifine yüz sürülürken 'Acaba laikliği neden koruyamıyoruz? ' diye hikmetinden sual olunur.

Atatürk nasıl anılır?

Her fırsatta Anıtkabir'e koşulur. Ata'nın hâlâ orada yatıp yatmadığı kontrol edilir. Geriye dönerken 'Dünya varmış, hâlâ orada...' diye derin bir 'oh 'çekilir!..

Sorunlar nasıl çözülür?

Sorunlar birikince birkaç usta gazeteci tarafından işe el atılır. Sorunlar sanki gizliymiş gibi gizli kameraya alınır. Tüyü bitmemiş yetimin hakkı aranır, ancak bulunamaz. Çünkü çoktan yenilip bitirilmiştir.

Ekonomiye nasıl kaynak bulunur?

Önce Hazineye bakılır. İçerde hâlâ para varsa 'Allah, Allah... Yiyoruz, yiyoruz bitiremiyoruz' denir ve istirahate yatılır. Para yoksa 'Acaba nereden para buluruz?' diye istihareye yatılır. Akla ilk önce halkın yastık altında sakladığı altınlar ve dövizler gelir. 'Çilekeş halkımızın altınların ve döviz cinsinden banknotların üstünde yatmaktan rahatı ve uykusu kaçıyordur' diye, parayı ve altını yastık altından çıkarıp halkı daha rahat 'uyutmanın' yolları aranır.

Ne var ki, halk da kaçın kurasıdır. Yemez... Daha doğrusu ne yer, ne yedirir.

TÜRK FELSEFESİ VE TÜRK MANTIĞI VAR MIDIR, EĞER VARSA BİR MANTIĞI VAR MIDIR, ONU ANLATIR...

Bütün özelliklerimizi bir araya getirip toplu bir sonuca varmak ve ortaya bir Türk felsefesi ve mantığı koymak olası mıdır? Belki.. Denemekte yarar var.

Felsefenin sözlük anlamı 'bilgelik sevgisi'dir. Ancak latinceden birebir yapılmış çevirinin bizim için fazla bir anlamı yoktur.

Fizolofların tanımlamaları ise bundan daha karışıktır. Çok yalın olan bir tanımı da vardır, ancak felsefenin yapısı yalınlığı reddetme eğiliminde olduğu için pek kullanılmaz:

-Yaşamın anlamı üzerinde düşünmek...

Biz yaşamın anlamı üzerinde fazla düşünmemek için felsefeyi yakın zamanlarda kitaplardan çıkardık. Daha önce felsefe ile bağlantılı bir bilim olan mantığı da hem okullardan, hem de her türlü işimizden çıkarmıştık zaten.

Ancak bu durum felsefeyi ve mantığı hiç kullanmıyoruz anlamına gelmiyor.

Üç önemli felsefemiz var ki, hayatımızın mantığını ortaya koyuyor:

-Bir şey olmaz felsefesi...

-Ekmek parası safsatası...

Ve bunlara bağlı olarak

-İdare et abi... şeklindeki laf salatası...

Bir şey olmaz felsefemizin varoluş nedeni her şeyi pratik yoldan çözme eğilimimizdir.

Genellikle oto tamircilerinin dünya görüşü sanılmakla birlikte, hemen hemen tüm mekanik ve elektronik aygıtların onarımında, hatta politika yaparken ve ülkeyi yönetirken bile kullanılır.

Örneğin onarım sırasında uygun vida bulunmamışsa, oraya bir tel sokulur ve aracının tamirini bekleyen kişiye

-Bir şey olmaz... garantisi verilir.

Bu güvencede oto tamircilerinin o kişiye bir şey olduğunda haberin kendilerine ulaşma zorluğu da büyük bir rol oynar.

Önemli bir şey olduğunda vatandaş öteki dünyadadır ve tamirciye hesap sorma imkânı pek yoktur.

Önemsiz bir şey olduğunda ise zaten hesap sormaya gerek kalmaz. Çünkü gerçekten bir şey olmamış sayılır..

- Ekmek parası felsefesi... Düzeltilemeyecek ölçüde bozulmuş durumların mantığını ortaya koyma amacıyla kullanılır.

Örneğin yöneticiler bir türlü işsizliğe çare bulamazlar. İşsizlik parası da ödeyemezler. İnsanları genç yaşta emekli ettikleri halde, ellerine geçinebilecekleri ölçüde emekli maaşı bile veremezler. Bunun üzerine herkes seyyar satıcılığa başlar.

Hiçbir belediye zabıtası da bu ölçüde seyyar satıcı bolluğu ile başa çıkamaz. İşte bu durumda

-İdare et felsefesi.. çözümlenemeyen ve çözümlenemeyecek olan durumun bir tür emniyet subabı olur.

Küçüklü, büyüklü birçok suçu içerir.

Diyelim, suç işleyen kişi suçu önleme ile ilgili makamlar tarafından suçüstü yakalandı.

Suçlu önce 'ekmek parası' felsefesini ortaya atar.

Makam bu gerekçeyi kabul etmezse

-İdare et abi.. faslına geçer.

Suçu önlemek için kurulmuş makamın bu durumda ne yapacağı bellidir:

-Bir şey olmaz... diye düşünerek idare eder.

Böylece karakollar, mahkemeler, cezaevleri boşu boşuna işgal edilmez. Vatandaş ve ailesi perişan edilmez.

Felsefe faslını bitirmeden biraz da felsefe yapalım.

Descartes 'Düşünüyorum, öyleyse varım' derken bizim varlığımızı pek hesaba katmamıştır.

4. BÖLÜM

İLİŞKİ KURMAKTA ÜSTÜMÜZE YOKTUR... ONU ANLATIR.

Buraya kadar kendi aramızdaki ilişkileri anlattık. Şimdi sıra geldi yabancı ulusların fertleri ile aramızdaki ilişkilere..

Yakın zamanlara kadar ansiklopediler bizden pek söz açmazdı. Bu durum biraz gururumuza dokunuyordu, ama son zamanlarda yavaş yavaş tanınmaya başladık, adımız duyulmaya başladı.

Örneğin artık Guinnes Rekorlar kitabında birçok Türk'ün adı geçiyor. Bunların başlıcaları:

- Zaro Ağa.. En çok yaşayan (145 yıl) ve sonunda ölen Türk.
- Dünya bıyık kralı (165 cm; boy değil, bıyık uzunluğu) olan Halil adlı başka bir Türk.
- Ve 'Yat-otur' dünya rekorunu kıran Feyyaz Kaya adlı Türk.
  (Dünyada böyle bir spor var. İngilizce adı 'Sit-up'.. Yere uzanmış durumda yatıp oturarak kafayı dizlere değdirecek şekilde yapılıyor. Bu hareketi arka arkaya 30 bin kez yapan vatandaşımız dünya şampiyonu sayılıyor)
- Dünyanın en uzun burunlu insanı bir Türk vatandaşı
- Dünyanın en uzun dondurmasını yapan bir Maraşlı
- Dünyanın en büyük dönerini (2698 kg) pişiren Bursalı bir lokantacı
- Burdur'da bir stadyumda toplanan 20328 kişinin topluca söylediği 'Hadi gali, sen de gel' adlı şarkıyla oynanan 'Teke zortlaması' oyunu..

Bir ara sporda büyük çıkış yapan ünlü haltercimiz Naim Süleymanoğlu da var.

1.50 cm. lik boyuna hiç uymayan ağırlıkları kaldıran bu çocuğun Türk olduğuna başkalarını da inandırırsak işimiz iş.. Çünkü Bulgaristan'da yetiştiği ve bize sonradan geldiği için hâlâ 'Türk asıllı Bulgar' olarak biliniyor..

Bu arada –ayıptır söylemesi- bir de dünya çapında tanınmış teröristimiz vardı: Mehmet Ali Ağca..

Roma'nın orta yerinde Papa'yı vuran ve adımızı hıristiyan dünyasına duyuran kişi..

Onun sayesinde daha büyük bir üne kavuşacaktık, ama olmadı. Biliyorsunuz Ağca İtalya cezaevlerinde Hazreti İsa olduğunu öne sürmüştü. Ancak bu ölçüde müslümanlıkla Hazreti İsa'nın da 'bizden biri' olduğuna dünyayı inandıracak halimiz yoktu.

Türk işçileri sağa sola dağıldıktan sonra ünümüz daha da arttı. Batı Avrupa ülkelerinde iyice tanınır olduk. Örneğin Almanlar ve Hollandalılar bizi yakından tanıdılar. Geçenlerde coğrafya ödevini yapan bir Hollandalı çocuk babasına sordu:

- Baba Türkiye nerededir?.

Baba haritalara baktı, ama yerimizi bir türlü bulamadı.. Bu kez eline bir Hollanda haritası alıp incelemeye başladı. Bir yandan da söyleniyordu

-Buralarda bir yerlerde olmalı. Çünkü kapımızın önünden hergün birçok Türk geçiyor.

Şaka bir yana, Nobel'i almaları gün meselesi (lafın gelişi; belki de yüzyıl meselesi) olan ünlü yazarlarımız Yaşar Kemal ile Orhan Pamuk'u yabancılar iyi tanıyor ve çok beğeniyorlar. O nedenle midir, bilmiyorum, bizim aramızda pek sevilmiyorlar.

AMERİKALILAR VE BİZ

Amerikalılarla pek ilişkimiz yok, ama Yeni Dünya'nın ilk sahipleri olan kızılderililerle büyük benzerliklerimiz var. Benzerlikler arasında önce adlarımız geliyor. Onlar kendilerine genellikle hayvan adları takarlar. Konuşan Ayı, Oturan Öküz, Uçan Kartal gibi... Bizim aramızda da kaç kişinin Aslan, Kaplan, Pars, Doğan, Kartal gibi adlar taşıdığını düşünsenize..

Benzerliklerimiz salt adlarımızla da sınırlı değil. Tıpkı bizim gibi kızılderililer de yerleşik yaşamı sevmezlerdi.. Örneğin bizim gecekondularımız sert maddelerden yapılmış kızılderili çadırları değil de nedir? Bir gecede kurulup, birkaç dakikada (bir dozer darbesiyle) ortadan kaldırılabilir.

Sağlam görünen yapılarımız bile hemen yıkılacak şekilde inşa edilmezler mi?

Veya Türkiye'de uygulanan kızılderili yöntemleri sayesinde ülkemizin yavaş yavaş vahşi batıya dönmesi, hemen hemen tüm kuruluşlarımızda 'çok şef, az kızılderili' bulunması rastlantı mı?

Aslında onlara da fazla haksızlık etmeyelim.

Galiba bizden iyi yaşamışlar.

Ne diyordu Manitu:

"En son nehir kirlendiğinde, en son balık tutulduğunda, en son ağaç kesildiğinde..."

Demek ki, oralarda hâlâ kirlenmemiş nehirler, tutulmamış balıklar ve kesilmemiş ağaçlar vardı.

JAPONLAR VE BİZ

Japonya hakkında yakın zamana kadar fazla bir bilgimiz yoktu; bütün bilgimiz 'Çin işi, Japon işi... Bunu yapan iki kişi...' şeklindeki tekerlememizden kaynaklanıyordu.

Herhalde 'yaptıkları o işler' sonucunda kalabalıklaştılar ve ülkeye sığamaz hale geldiler. Bugün bütün dünyada Japonlar şöyle tanınıyor ve tanıtılıyorlar:

'Kısa boylu, çekik gözlü ve ABD'de yaşayan insanlar...'

Bu kalabalık ulusun bizi bugüne kadar keşfedememesi akıl alır gibi değil. Oysa harakiriye meraklı Japonlar için ülkemiz bir intihar cenneti olabilirdi. Karayoluyla bir Anadolu turu yapma, lokantalarımızda beslenme, Marmara denizinde birkaç kulaç atma ve susuzluğu terkos suyu ile giderme gibi zevkli yöntemler varken, işi kanla-bıçakla çözmenin âlemi var mı?

Bir başka benzerliğimiz ise şu:

Japon kentleri 7'nin üstündeki şiddette bir depremde bir şey olmamış gibi dururlar..

Aynı açıdan bizim kentlere bakarsak....

Deprem olmasa bile 7'nin üstündeki şiddette bir depreme uğramış gibi dururlar...

İNGİLİZLER VE BİZ...

İngilizlerle aramızda fazla bir ilişki yok. Zira İngilizler malum, biraz ters insanlardır. Ters işleyen trafiklerinden tutun, yağmur yağarken çimenlere uzanan, yağmur dinince şemsiyelerini ve yağmurluklarını alarak yola koyulan bu insanlarla nasıl ilişki kurabilirdik ki?.. İngilizlerin bu kadar tersliği neden yarattıkları konusuna mantıklı bir yanıt verilemiyor, ama benim aklıma mantıksız da olsa şöyle bir neden geliyor:

Tüm tersliklerine karşın ülkede her şey aşağı yukarı düzgün işliyor. Bizim sistemimize gelince.. Ortada hiçbir terslik yok, ama nedense her şey ters gidiyor.

Futbolun beşiği İngilizlerle sonradan epey ilişkiye girdik. Bu konuya 'Türk sporu' bölümünde, yeniden döneceğiz..

İTALYANLAR VE BİZ...

İtalyanlarla geçmişte fazla olmayan ilişkimiz son zamanlarda biraz arttı.. Türkler bulabildikleri bütün fırsatlarda İtalya'ya koşuyor artık. Özellikle bayram ve yılbaşı tatillerinde Roma'nın ünlü caddesi Via del Corso'da dolaşırken, insan 'Acaba herkes Türk mü, yoksa araya bazı İtalyanlar da karışmış olabilir mi? kuşkusuna kapılıyor.

Bu durumun bir sonucu da ekmeklerini Roma'nın ünlü Tirevi çeşmesine atılan madeni paralardan çıkaran italyan işsizlerinin başına gelendir. Artık bu çeşmeye sadece madeni Türk parası atıldığından ve madeni paramız İtalya'da (hatta Türkiye'de de) işe yaramadığından adamlar geçim kaynaklarından oldular.

Hele Mehmet Ali Ağca'nın Papa'yı vurmasından sonra İtalya'da adımız daha sık geçmeye başladı.

İSVEÇLİLER VE BİZ

Türkler dünyanın dört bir yanına dağılırken İsveç'e kadar uzandılar.. Konyalı bir genç İsveç'e gelmiş ve Türkler'in yoğunlukla yaşadığı bir mahalleye yerleşmiş.

Bir süre sonra arkadaşları kendisine İsveç'i nasıl bulduğunu sormuşlar.

-Vallahi, demiş Konyalı, iyi, güzel de.. ortalıkta çok İsveçli var.

ALMANLAR VE BİZ

Almanya'da durum daha da vahim:

Orada aynı soru bir Türk'e sorulsa, herhalde şu yanıt alınır:

-İyi güzel, ama ortalıkta çok Türk var.

ARAPLAR VE BİZ

Bir ara Araplar ülkemize çok sık geliyorlardı. Sonradan ayakları kesildi. Bunun da nedeni ülkemizdeki mesafeleri çok uzun bulmalarıydı..

Bu konuda gösterdikleri kanıt, İstanbul'da en kısa mesafenin bile 3-4 saat sürmesiydi.

Sonradan bunun nedeni anlaşıldı.. Taksi şoförlerimizin marifetiydi. Doğal olarak Taksim'den Harbiye'ye Sarıyer üzerinden gidince epey zaman alıyordu.

RUSLAR VE BİZ

Ruslarla ilişkilerimizi birkaç bölüme ayırmak lazım:

Baltacı Mehmet Paşa- Katerina dönemi..

Demirperde dönemi..

Ve SSCB yıkıldıktan sonraki dönem..

Baltacı devrinde malum, ünlü kumandan ordularıyla Katerina'nın üzerine yürüdü ve hatunu bir çadırda kıstırdı. Artık orada ne olduysa, Baltacı'nın daha ileri gidecek hali kalmadı..

Demirperde zamanında SSCB ile pek ilişki kuramadık. Komünizm geldi, geliyor derken, komünizm gitti. Apışıp kaldık. Son olarak demirperde parçalandı, Ruslarla bu kez Türkiye'ye gelen güzel kızları vasıtasıyla ilişki kurmaya çalıştık. Kurduk da.. Ancak bu ilişki türü AIDS kapmaktan başka bir sonuç doğurmadı..

ROMENLER VE BİZ

Romenlerle geç tanıştık, ama iyi kaynaştık. Sanırım ilk tanışmamız diktatör Çavuşesku zamanında olmuştu. Bu komünist lider, halkı sonunda isyan ettiren tasarruf önlemlerine kumaş kısıtlaması ile başlayınca dikkatimizi çekti. Romen erkeklerinin kısıtlamaya pek aldırdığı yoktu, ama kızların yaptığı tasarruf bütün Romanya için yeterliydi.

O yıllarda Bükreş caddelerinde bir Romen kızına uzaktan veya yakından bakıldığında eteğini evde unutup sokağa kilodu ile çıktığı sanılabilirdi. Oysa bellerinde en fazla 10 santim boyunda bir mini etekleri olduğu dikkatli erkeklerimizin gözünden kaçmıyordu..

İşte o nedenle Diktatör Çavuşesku zamanında Romanya'da her Romen erkeğine 1,5 sivil polis ve her Romen kızına 2,5 sivil Türk erkeği düşerdi.

Mini etek bolluğuna karşın Romenlerin komünizm baskısı altında aşırı ölçüde ciklet ve blucin sıkıntısı çektikleri bir gerçekti. Benim inancıma göre Çavuşesku'lar en çok ciklet sıkıntısı yüzünden devrildiler. Karl Marx'ın ağzından sözlersek 'makro konjonktürde ciklet sıkıntısının yarattığı eksi değer diyalektik olarak Romenleri isyan noktasına getirmişti.'

İşte tam bu sırada ciklet ve blucin sıkıntısı altında inim inim inleyen romen kızlarının imdadına bizimkiler koşmakta gecikmedi. Ne var ki, kızların iniltileri, kavuştukları ciklet ve blucinlere rağmen bir türlü dinmedi. Tersine kendilerine ciklet ve blucin taşıyan Türkler'in altında daha da arttı.

Sonunda kapitalizm geldi ve hem blucin, hem ciklet bollaştı.

Ne var ki, bu kez da ortada para ve para kazanılacak işler yoktu. Eski sıkıntıların yerini bu kez para sıkıntısı almıştı. Devlet işverenliği bırakmıştı. İşleri kapitalist olmak için can atan vatandaşların yapması gerekiyordu artık.

Romenlerin aklına tam bu sırada biz gelmiş olabiliriz. Çünkü yakınlarında hem paralı, hem bıyıklı, hem de meraklı (romen kızlarına tabii) insanlar vardı. Türkiye'ye gidilse belki bu insanlardan 'iş' alınabilirdi.

Böyle düşünerek geldiler ve yanılmadılar. Şimdi gün geçmiyor ki, ülkenin herhangi bir yerinde bir miktar Romen kızı 'iş' üstünde yakalanmasın.

Romenlerin Romanya'yı terkedip bizim ülkemizde yaşamaya başlamalarından beri Aksaray, Laleli, Beyazıt ve Çarşıkapı civarında yaşayan esnaf bir Türk'e rastladığı zaman çok şaşırıyor:

- Buna dimineata Domnu (Romence: iyi günler efendim)

Ne bunaması, ne donması yahu.. Ben Türk'üm.... derseniz sorular başlıyor. 'Sebeb-i ziyaretinizi' öğrenmek istiyorlar.

Hatta içlerinde 'Hayrola.. Ne işiniz var buralarda? ya da 'Turistik mi, yoksa iş gezisi mi?' diye soranlar bile çıkıyor. Eğer fazla yadırgamıyorlarsa 'Welcome' deyip geçiyorlar.

Aksaray-Laleli otellerinde de sanıldığının tersine yabancılar değil, Türkler kalıyor. Çünkü yabancılar çoktan ev tutup yerleşmiş durumdalar. Türkler ise bir iş nedeniyle Beyazıt hududunu geçip Aksaray-Laleli'ye indiler mi, geceyi orada geçirmek istiyorlarsa otellerde kalıyorlar.

Fakat otel personelini anlamak kolay değil.

Personel uzun zamandan beri konsantre olduğu Romenceyi konuşuyor. Abartmayayım, yabancı dil olarak Türkçe bilenler de yok değil...

KÜRTLER VE BİZ

Kürtler bugüne kadar müstakil bir devlet kurma başarısını gösteremediler, ama hazır kurulmuşu varken fazla uzağa gitmeye de gerek görmediler.

Kim bir devlet kurmuşsa, onların arasında bir süre yaşadıktan sonra ' Bu devlette bizimde payımız var' diyerek harekete geçtiler.

Şimdilik Türkiye ve Irak'ta yaptıkları böyle bir şey. Suriye ve İran'dakilerin de elleri kulaklarında...

Bu işte bizim de epey kusurumuz var.

Hep birlikte 'Ne mutlu Türk'üm diyene' diyerek mutlu bir şekilde yaşadığımızı zannederken, bazılarının arada sırada yaptıkları itirazlara pek kulak asmadık. Oysa onlar;

-Biz mutlu değiliz, hatta Türk bile değiliz, biz kürdüz.. diyorlardı.

Bu şekilde çıkış yapanları ayıpladık:

-Hiç öyle şey olur mu? Burası Türkiye... Türk-Kürt ayırımı yoktur. Kürtler Türkler'in karda yürürken 'kart, kürt' diye ses çıkaranlarıdır... dedik, ama derdimizi anlatamadık.

Buna karşılık kendilerine 'Kürt' adını veren vatandaşlarımız, dertlerini herkese anlatabildiler.

Anımsanacağı gibi bir ara 'Kürtlere özgürlük' diye ayağa kalkan ve bize kafa tutan PKK'yı ' Kürtlere özgürlük' diye ayağa kalkan ve devrik Irak Devlet Başkanı Saddam Hüseyin'e kafa tutan Talabani ve Barzani ile işbirliği yaparak ortadan kaldırmaya kalktık.

Ve tabii derdimizi yine kimseye anlatamadık.

Yunanistan'da yaşayan Türkler ise 'Biz Türküz, Yunanlı değiliz' diye ortaya çıkınca bu kez Yunanlılara kızdık ve

-Herkes kendi milliyetini ve cibilliyetini özgürce korumalıdır. şeklinde nutuklar attık. Tabii derdimizi onlara da anlatamadık.

Aynı şekilde Bulgarlar Bulgaristan'daki soydaşlarımızı bulgarlaştırmaya kalkışınca yine haklı olarak karşı çıktık ve yine derdimizi anlatamadık.

Şimdi dünyanın dört bir yanında durumumuz şu: Tamamen haklı olduğumuz halde, tamamen haksız görünüyoruz.

20. YÜZYILA AİT BİR İLİŞKİ TÜRÜ OLAN TURİZMDE NELER YAPTIK, YAPIYORUZ, ONU ANLATIR.

Bizlere sanki ezelden beri yapılıyormuş gibi gelmekle birlikte turizm yirminci yüzyılın ortalarında başlamış bir ilişki türüdür. Oradan da para geleceğini görünce biz de turizme soyunduk.

Yakın zamana kadar turistik bir ülke olma yolunda dev adımlar atılan Türkiye'de en büyük eksiklik turistlerdi. Dünyanın dört bir yanına dağılan çeşitli uluslar arada sırada ülkemize de gelirlerdi, fakat sayıları bizim beklediğimiz kadar fazla değildi.

Bunun nedenleri üzerinde durmak gerekirse sırasıyla sayayım:

Turist bir sınır kapısından yurda giriş yapar ve karşısında Türkçe'den başka dil bilmeyen görevlileri bulurdu.

Biz bunları pek dert etmezdik. Zaten o sıralarda kim akıl etmişse turistik sloganımız 'No problem in Turkey'di. Yani' Türkiye'de kafanı hiçbir şeye takma...'

Diyelim ki turist geldi ve Türkçe'den başka bir dil bilmeyen görevli ile karşı karşıya kaldı. Bizim için 'No problem'.. di. Siz de dert etmezseniz iyi olurdu. En iyisi Türkçe öğrenmekti.

Diyelim ki turist geldi, bagajları gelmedi.

Biz bagaj meselesini de dert etmezdik. Zaten şu ölümlü dünyada bagaj taşımaya değer miydi?

Diyelim ki turist geldi, bagajları da geldi. Ayasofya'yı Kapalıçarşı'yı gezdi, halısını, yüzüğünü aldı, şişkebabını ve kazığını yedi. Otele döndüğünde baktı ki, içi içine sığmıyor. Meğer şiş kebab geçen turizm mevsiminden kalmış..

'No problem in Turkey...'

Eğer hastaneye gitmezse, şiş kebablar eninde sonunda vücudunu terk edecekti. Oysa bir hastaneye başvurduğu takdirde, vücudunu kolay kolay terketmeyecek bir sürü organizma ile karşılaşabilirdi.

Diyelim mi turist güzel İstanbul'un tadını çıkardıktan sonra güneye inmeye karar verdi. Kum ve güneş banyosunu aldı, denizine girdi, tecavüzüne uğradı.

Yine dert değildi, ama tecavüz konusunun üzerinde biraz durmakta yarar var.

Bu konuda Türk medyasının büyük rolü vardı.

Gazetelerimiz sağlıklı ve seksi bir kamuoyu oluşturmak için bir kampanya uyguluyorlardı. Bu iş şöyle olurdu:

Önce İsveçli Ulla veya Alman Karin'in bazen üstsüz, bazan altsız, zaman zaman da hem üstsüz, hem altsız fotoğrafları yayınlanırdı. Bunun anlamı tecavüz edeceklere şu mesajı vermekti:

-İşiniz kolay çocuklar. Hatunu soymaya bile gerek yok.

İkinci adım Ulla ile Karin'in düşüncelerini öğrenmeye yönelikti. Bu iş için Türkçe'den başka tarzanca da konuşan muhabirler kullanılır ve her ne hikmetse iki turistten de söz birliği etmişçesine aynı demeçler alınırdu:

-Türk erkekleri çok yakışıklı. Bizimle ilgileniyorlar, ama nedense çok utangaçlar.. Yanımıza yaklaşmıyorlar, uzaktan bakıyorlar.

Bunun da anlamı açıktı:

-Utanmayı bırakalım beyler, beğeniliyor ve arzulanıyorsunuz.

Üçüncü adamda Ulla ile Karin'in medeni durumu ortaya konurdu. Biri mutlaka bekâr olurdu, diğeri de evli. Ama o da kocasını ülkesinde bırakmış olurdu. Anlamı:

-Durum uygun. Engel yok.

Dördüncü adım hatunların psikolojik durumlarını saptamaktı. Bu iş çok kolaydı. Yalnız olduklarına göre canları sıkılmaktaydı. Öyleyse:

-Size bile razı olabilirlerdi.

Beşinci adım nerede bulunduklarını göstermekti. Fotoğrafın hangi yörede ve hangi plajda çekildiği belirtilirdi. Anlamı:

-Hedefiniz Akdeniz'dir... İleri...

Altıncı adım turistlerle ilişkiye girecek olanlara AIDS tehlikesini hatırlatmaktı. Hastalık hakkında bilimsel makalelerden birkaç cümle eklenirdi. Bunun da anlamı:

-AIDS'ten başka tehlike yok. Erkeğin ölümü AIDS'ten olsun'du.

Bir süre sonra Ulla'ya veya Karin'e tecavüz edildiği bildirilirdi.

Tecavüz eden genellikle orta boylu, esmer ve kara bıyıklı olurdu.

Bunun da anlamı şuydu:

İşte tam sizin gibi biri fişi taktı, işi bitirdi. Siz hâlâ ne bekliyorsunuz?

Turizm denince hepsi bu kadar değil. Ülkemizin saymakla bitmez başka güzellikleri de var.

Örneğin halılarımız dünyada bir tanedir. Yalnız dikkat edin, Kapalıçarşı'daki fiyatları sanki dünyada bir tane halı varmışçasına saptanır.

Ayakkabı boyacılarımızdan kurtulmanın tek yolu ayakkabınızı boyatmaktır. Fakat yine dikkatli olun: boya parası ayakkabının fiyatını aşabilir.

Bu aksaklıkların çoğu hâlâ sürmekle birlikte şimdi durum epey değişti ve turistler artık akın akın ülkemize geliyor. Bunun da nedeni bizim yarattığımız 'her şey dahil' sistemidir. Artık hangi otelimize giderseniz gidin sizi 'her şey dahil' sistemi beklemektedir.

Son zamanlarda her şey dahil sistemi hakkında bazı söylentiler çıkmıştır.

Güya işletmeciler ucuza mal olsun diye her şey dahil sistemine her şeyi dahil etmişler. Şöyle ki:

Et yerine sakatat, bal yerine şekerli şerbet, tereyağ yerine margarin, şarap yerine sirke, viski yerine metil alkol, votka yerine etil alkol, şişe suyu yerine musluk suyu, musluk suyu yerine artezyen kuyusu suyu, kaşer peyniri yerine patates ezmesi, beyaz peynir yerine kireç kaymağı, tuz yerine kayatuzu, doktor yerine veteriner, vejeteryan yemekleri yerine dağdan toplanmış otlar menüye dahil ediliyor... şeklinde bir söylenti var.

Ancak durum böyle olsa bile Turizm Bakanlığı bu aksaklıkları önleyemiyor. Çünkü otelciler, eğer yaptıkları doğruysa, kendi taahhütlerine aykırı davranmış olmuyorlar.

Onların söyledikleri neydi: 'Her şey dahil...'

Yukardaki durumda da olaya her şey dahil edilmiş olmuyor mu?

5. BÖLÜM

OTOMOBİLİ ALIRKEN TRAFİK KURALLARINI NEDEN ALMADIK, ONU ANLATIR.

Trafiğimiz aslında bizim kendi başımızın belasıdır, ama arada sırada ülkemize gelen yabancıların paylarına da bir şeyler düştüğü için hemen turizm bölümünün peşine takılmasında yarar vardır.

Çünkü trafik canavarımızın ünü Türk Cumhuriyetleri, Avrupa ve Asya'yı geçtikten sonra Amerika'ya kadar yayılmıştır. O yüzden ABD hükümeti salt ülkemize gelecek vatandaşları için küçük bir kitapçık hazırlamıştır.

Amerikalıların özetle söylediği şudur:

'Türkler kurallara uymaz..'

Örneğin otoyollarda kamyonların sağ şeritte yol almaları vazgeçilmez bir trafik kuralıdır. Buna karşın Amerikalılar şöyle yazmışlardır:

- Otoyollarda sol şeritte giden bir kamyonla karşılaşırsanız soğukkanlılığınızı kaybetmeyin.

Gece arabayla yol alırken far yakmak zorunluluktan öte vazgeçilmez bir gerekliliktir.

Oysa Amerikalı uyarıyor:

- Geceleri yollarda farlarını kapatmış otolarla karşılaşırsanız, şaşırmayın.

Sağa sola saparken sinyal vermemek düşünülemez bile.

Ama Amerikalı önlemini alıyor:

- Bir anda karşınıza çıkabilecek kamyonlara dikkat edin. Sinyal vermeden ansızın şerit değiştirebilirler.

İşte böyle şeyler yazıyor Amerikalılar. Hepsini buraya alsam, ayrıca küçük bir kitap daha yazmam gerekir ki, Amerikalıların yazdığı kitap pek küçük değil..

Bu trafik belasını başımıza Amerikalılar sardığı için 'oh olsun' diyeceğim, ama haksızlık olacak.

Henry Ford kendi kendine giden ilk otomobili yaparken büyük olasılıkla bizi hesaba katmamıştı.

Kendi kendine giden aracın direksiyonundaki kişinin önce kendi canını düşüneceğini ve kurallara uyacağını varsayıyordu.

Öyle olmadı..

Biz otomobili aldık, kuralları almadık.

Belki de otomobili ve trafiği yabancılar bulduğu için kullandık, ama benimseyemedik.

Yabancılar otomobilden ve trafik kurallarından sonra toplu taşımayı da bularak rahat ettiler.

Biz de onlara nazire olsun diye 'toplu taşımamayı' icat ettik.

Bu iş söyle oldu:

Sanırım 1967'de ilk yerli araba yapıldı. Ünlü iş adamımız Vehbi Koç hayatını anlattığı kitabında inkârdan gelmekte ise de, ilk yerli otomobilimiz 'Anadol' Anadolu'da insanlardan çok keçi ve ineklerin ilgisini çekti. Dayanıklı bir araç olarak yapıldı,

ama hayvanların gereksinimlerini karşılayan dayanıklı bir hayvan yemi görevi görüyordu. Yapıldığı madde her ne ise hayvanlar tarafından çok lezzetli bulunuyordu. Artan bölümleri de insan taşımaya yarıyordu.

İkinci yerli arabamız Murat 'At, avrat, silah' şeklindeki sloganımızın ilk öğesinin yerini aldı. Mübareğe ata biner gibi binildi.. Yine tıpkı at üstünde olduğu gibi yola çıkarken, sağa sola saparken trafik işaretlerine boş verildi.

Trafiğin kırmızı, yeşil ve sarı ışıkları da bizim için uzun süreler boyunca Güneş'in yedi renginden üçü olmak dışında bir anlam ifade etmedi.

Örneğin bir arabanın içinde giderken şöyle konuşmalar yapılıyordu:

- Birader, demin geçerken bir direkte kırmızı ışık yanıyordu. Neydi o allasen?.

-Valla, ben de buraların yabancısıyım, hemşerim. Bilmiyorum.

- Geçen gün dikkat ettim, başka renk bir ışık yanıyordu.

-Kafalarına göre her yere lambalar koyuyorlar işte.

- Niye koyuyorlar peki?.

- Kim bilir?.. Belki ortalık aydınlansın diyedir.

-Güpegündüz ortalığı aydınlatmaya ne gerek var ki.?

- Belki geceden açık unutuyorlardır..

Sonraları trafik ışıkları biraz da Azrail'in yol göstermesiyle iyi-kötü öğrenildiği halde, diğer işaretler bir türlü öğrenilemedi ve kullanılamadı.

Ama yabancılara lazım olur düşüncesiyle bunlar da yerleştirildi. Hatta o kadar ki, bazı otoparklarımızda zaman zaman 'Park Yapılmaz' levhaları bile görülebiliyor. Biraz düşününce bunun da bir mantığı olduğu anlaşılıyor.

Otopark sahipleri, bizim en rahat şekilde 'Park yapılmaz' levhaları altına park ettiğimizi görünce, müşteri çekmek için böyle bir yola başvurmuş olabilirler.

Büyük kentlerimizde park yasağı tüm ciddiyetiyle yürürlüktedir. Yürürlükte olan başka bir kural da bulduğunuz her yere park etme kuralıdır.

Aslında çevrede otoparklar da bulunabilir. Ama bunlardan birine girmek arabayı sokağa bırakmaktan daha emniyetli değildir. Çünkü bizim otoparkların sorumluları 'otonuzun çalınmasından, çizilmesinden, soyulmasından sorumlu olmadıklarını' size verdikleri otopark fişleri üzerinde açıkça belirtirler. O yüzden otonuzu otoparka bırakmakla sokak ortasında bırakmak arasındaki tek fark, ödeyeceğiniz park ücretidir.

Bütün bunlar yetmiyormuş gibi, Avrupa'ya uyarak bir de TEM denilen geniş otoyolları yaptırdık ülkenin orasına burasına.

TEM İngilizce'de 'Trans European Motorways'in baş harfleridir. Ancak kuralsızlık ve kontrolsüzlük yüzünden Türkçe'de 'Transit Edirnekapı Mezarlığına' anlamına da gelir.

Bu yol üzerinde aklınıza gelebilecek veya gelemeyecek her şeye rastlanır: Örneğin kedi- köpeklere, ineklere, koyun sürülerine, yayalara, piyango bileti, simit, lahmacun, kâğıt helvası ve tuvalet kâğıdı satıcıları ile transseksüellere. Rastlanmayan tek şey trafik polisleridir.

Yalan söylemeyeyim; bir tarihte bu yollardan biri üzerinde bir trafik polisinin görüldüğü, hatta elde bir kanıt olsun diye fotoğrafının çekildiği bile rivayet edilmektedir, ama ben en o fotoğrafı gözlerimle görmediğim için kesin konuşmayayım.

Nitekim en az 10 yıllık trafik polisleri arasında yapılan bir bilgi yarışmasında 'TEM nedir?' sorusuna trafik polislerinin verdiği yanıtlar aşağıdadır:

1) Lokanta adı, 2) Jilet markası, 3) İngilizce bir sözcük, 4) Uzay aracı 5) Frank Sinatra'nın bir şarkısı, 7) Bir film oyuncusunun adı..

Sonuç mu? Sonuçta yarışmayı 'İngilizce bir sözcüktür' diyen polis kazandı. Zira jüri üyeleri de TEM'in ne olduğunu bilmiyorlardı..

Son zamanlarda ehliyet verme işleri özel okullara devredildiği için trafiğe çıkmak iyice korkutucu bir hal aldı.

Yola çıkarken her olasılığa karşı bazı önlemler almanız gerekiyor artık. Örneğin vasiyetinizi hazırlamak gibi...

Zira bu ehliyet bürolarından birini giderseniz şöyle konuşmalara tanık olabilirsiniz:

-Buyurun, ne arzu etmiştiniz?

-Bir ehliyet lütfen.

-Hay hay verelim. Nasıl bir şey istiyorsunuz: amatör, profesyonel, ağır vasıta.

- Hiçbir fikrim yok. Bugüne kadar hiç araba kullanmadım. Biraz açıklar mısınız?

- Efendim amatör ehliyet adı üstünde amatörler için.. Adamı çiğnedikten sonra amatör olduğunuz için olay yerinden kaçamıyorsunuz. Mahkeme size 200 YTL ağır para cezası ve yarım gün ağır hapis cezası veriyor.

-Ya profesyonel?.

- Profesyonel oluyorsunuz.. Adamı ezip kaçıyorsunuz. 'ağır' cezalardan kurtuluyorsunuz.

-.!..

- İsterseniz ağır vasıta için de biraz bilgi vereyim. İnsanları büyük bir araçla toplu halde biçiyorsunuz. Sonra ' Vallahi billahi benim suçum yok abi.. İki gözüm önüme aksın, iki gündür uykusuzum, uyanık kalabilmek için bir büyük içtim. Yine de kırmızı ışıkta dalıp gitmişim. Adamların üstünden geçerken uyandım.. diyorsunuz.

-Öyleyse ben bir amatör ehliyet rica edeyim.

- Derhal verelim. Daha önce otomobile bindiniz mi?

- Kendim kullanmadım, ama dolmuşla, taksiyle epey dolaştım.

-Ohooo.. Siz işi bitirmişsiniz zaten. Ücreti ödemenizden başka bir işleme gerek yok öyleyse.

-Benden daha acemileri de mi var?..

- Var tabii. Traktöre binen, at arabası kullananlar, onlara özel muamele çekiyoruz.

- Ne gibi?

- Otomobili gösteriyoruz. Hatta icap ederse bindiriyoruz. Vitesin, direksiyonun yerlerini gösteriyoruz. Siz dolmuşa, taksiye bindiğinize göre bunların yerini biliyorsunuzdur.

-Bilmem, pek dikkat etmedim.

-Dikkat etmeye gerek yok zaten. Önünüzde duruyorlar ve her araca mutlaka koyuyorlar.

İşte bu nedenlerle ortaya çıkan tartışılmaz gerçek bizim 'dünya kaza şampiyonu' oluşumuzdur.

Kazaların da türlü çeşitleri vardır. Bu nedenler aynı zamanda bizim kazaları kendimizden başka nedenlere bağlama huyumuzu gösterir. Kimse suçu kabul etmeyince kazalar aşağıdaki nedenlere bağlanır:

HATALI SOLLAMA: Kazaların en önemli nedenlerinden biridir. Bir araç diğerini geçmek için sollar. O sırada önüne karşıdan gelen bir araç çıkar. Çarpışırlar ve kaza olur. Bu kazaların nedenleri trafik kayıtlarına 'hatalı sollama' diye geçer.

AŞIRI HIZ: Araçlar aşırı hız yapacak şekilde üretilmişlerdir. Bu yüzden araçlar hızlanır, hızlanır ve aşırı hıza ulaşır. Bu sırada yoldan savrulur veya karşıdan gelen bir araçla çarpışırsa neden 'aşırı hız' olur.

SİS: Arada sırada ortalığı sis basar. Gözü görmez olur. Bu sırada hâlâ yol almaya çalışan araçlar çarpışırlarsa bu kazanın nedeni de 'sis' olur.

KAYGAN YOL: Yağmur ve kar yağar, yol kayganlaşır. Araçlar kaymaya başlarlar. Ortalık mezhabaya döner, kazanın nedeni 'kaygan yol' olur.

ALKOL: Vatandaş durmadan içer, sonra arabasına atlar ve yola çıkar. Eğer karşı taraftan gelen sürücü de alkollü ise çarpışırlar. Rastlantı sonucu sürücülerden biri alkol almamışsa (ki her şey mümkündür bizde) sonuç değişmez. Her iki halde de ölenler ölür, kalan sağlar bizim olur. Olay alkole mâl olur.

GÖRÜNMEZLİK: Aslında bütün kazalar görünmezdir. Çünkü inanışımıza göre 'kaza geliyorum demez'. Ansızın çıkar gelir. İşte böyle kazalara 'görünmez kaza' denir.

EHLİYETSİZLİK: Ehliyeti olmakla olmamak arasında bizde fazla fark yoktur, ama eğer kazaya yol açan sürücünün ehliyeti yoksa bir işe yarar ve kazanın suçu ehliyetsizlik üzerinde kalır..

YERSİZLİK: Çapkın erkeklere özgü bir kaza türüdür. Yersizlikten sürücü yanına bir hatun alır. Vitesi hatunun eline verir. Kendisi de el peşrevine girişir. En zevkli kaza nedenlerinden biridir. Doğru cennete gidilir.

DENSİZLİK: İçimizde doğuştan var olan yarışma ruhunun sonucunda ortaya çıkar. Bilim,sanat, edebiyat, spor gibi alanlardaki yarışma eksikliğinin acısını yolda çıkarmaya kalkanlar yarışa başlarlar. Genellikle kimin kazandığı belli olmaz. Çünkü finiş noktası öteki dünyadadır.

NEDENSİZLİK: Size biraz garip gelebilir, ama bizde her kaza bir nedene bağlı olmak zorunda değildir. Bir araç düz yolda güzel güzel giderken hiçbir görünür neden yokken de kaza yapabilir. Nedeni bilinmez, Allah'ın hikmetinden sual olunmaz, kapanır, gider.

Ancak bir kazadan kurtulmak, kaza sonrası başınıza geleceklerden kurtulma anlamına gelmez.

Allah korudu ve kazadan canlı çıktınız diyelim, kaza sonrası formalitelerinden kurtulmak o kadar kolay değildir. Kaza mahalline gelen trafik ekibi tarafından kazaya karışanların ehliyet ve ruhsatları dikkatle incelenir, ama kazanın nasıl olduğuna pek dikkat edilmez.

Kaza raporu hazırlanırken elinize tutuşturulan birkaç evrakla ' Önce gidin, alkol muayenenizi yaptırıp gelin' denir.

Allah vermesin, kazayı yaptıktan sonra arabayı kullanan kişi eğer alkollü ise, bu durum ancak hastaneye gidince anlaşılır.

Ne var ki, hastanedeki doktorun elinde başka bir alet olmadığı için burnunu kullanarak alkol muayenesini yapar. Bu işi neden trafik polisleri yapmaz? Yoksa tıp fakültelerinde doktor adaylarına koku alma yeteneklerini geliştiren bir eğitim mi verilmektedir, bilinmez.

Oradan çıkılır, elinizde çoğalmaya başlayan evraklarla en yakın fotokopici aranır. Devlet nedense kendi düzenlediği ve kendi dağıttığı belgelere güvenmez, ama bunların fotokopilerine güvenir.

Örneğin bir kaza sonrasında ehliyet ve ruhsatınızı göstermeniz yetmez, mutlaka fotokopilerini de göstermeniz istenir.

Evraklardan üçer kopya çıkarılınca işiniz neredeyse bitmek üzeredir. Yeniden dönülen kaza mahallinde arabanız hurdahaş, çoluk-çocuğunuz perişandır, ama sizi yine de sevinirsiniz. Çünkü kazayı atlatamasanız bile işin en zor bölümü olan kaza raporunu kazasız-belasız atlatmışsınızdır. Bundan sonra size karada ölüm yoktur, ama sakın yanlış anlamayın, karayolu hâlâ tehlikelerle doludur.

İSTANBUL'DA VAPUR YOLCULUĞU NASIL YAPILIR, ONU ANLATIR.

Boğaziçi dünyadaki tartışılmaz güzellikteki konumuyla iki kıta arasındaki en kısa uzaklığa sahiptir. Bizim Şehir Hatları (yeni adlarıyla İDO) vapurlarıyla 20 dakikada rahatlıkla geçilir.

Eğer bu vapurlardan birinde değilseniz 20 dakika çok kısa bir süredir, ama Einstein'ın görelilik (izafiyet) kuramına göre iki kıta arasındaki yolculuk fazla kısa sayılmaz.

Zira ünlü bilim adamı kuramını şöyle tanımlamıştır:

'Zaman izafi (görele) bir kavramdır. Örneğin güzel bir bayanla geçirilen bir dakika ile kızgın bir sobanın üzerinde geçirilen bir dakika arasında zaman farkı vardır.'

Gerçekten Kadıköy vapurlarında geçen 20 dakika insana çok daha uzun bir zaman dilimi imiş gibi gelir.

Ve insan 20 dakika gibi bir zaman dilimine, bu kadar aksaklığın nasıl sığdırılabildiğine bir türlü akıl erdiremediğinden küçük dilini yutma raddelerine gelir.

Kadıköy vapurlarının aksamayan tek yanı tam saatinde kalkmalarıdır. Jetonunuzu atıp bekleme salonuna girmenizde hiçbir engel olmasa bile oradan vapura rahatça girememeniz için epey önlem alınmıştır. Bekleme salonundan vapura kadar uzanan 10 metrelik engelli koşuda merdivenler, iskeleler, iskele babaları, su muslukları, hortumlar, tahta ve demir parçaları ile herhangi bir onarım için ortada bırakılmış alet-edevat bulunabilir.

Başka bir sorun vapur yükseklikleri ile iskele yüksekliklerinin birbirini asla tutmamasıdır. Gemi ve iskele yapımcıları işi baştan sıkı tutarak hiçbir gemi ile hiçbir iskelenin aynı seviyeyi tutturmasına izin vermemişlerdir.

Vapurun içine girdikten sonra yaşananlara gelince...

İki kıtayı birbirine bağlayan vapurlarda iki pencereden birinin açık olması kesin bir kural gibidir. İkinci kesin kural bu durumun sadece kış aylarına özgü olmasıdır. Eğer mevsim yaz ise üçüncü kesin kural uygulanır ve milletin sıcaktan bunalması için pencerelerden hiçbirinin açık olmasına izin verilmez.

Can yelekleri mutlaka tavanda ve kanepelerin altındadır ve mutlaka İkinci Dünya Savaşı'ndan kalmadır. Kullanma talimatları da o zamandan kaldığı için yeleklerin nasıl kullanılacağını öğrenmek için ayrıca Arapça ve Farsça da öğrenmeniz gereklidir.

Bundan sonra yolculuk başlar. Yolculuğun ilk bölümünde Japon harikası patates soyma makinesini alana üç adet tarak veren satıcı işini bitirirken, son bölümünde Almanya'nın en gelişmiş portakal-limon sıkacağını yeni paltonuzun üzerinde sulu bir greyfurtla denemeye kalkan satıcı işine başlar.

Onlar gidince dizinizin üstüne bir karton parçası bırakan yavrucak çıkagelir. Bu yavrucak bazen gelmez, onun yarattığı boşluğu geleceğin arabesk şarkıcısı olabilmek için ilk ses denemelerini yapmakta olan başka bir yavrucak doldurur. Böylece geleceğin arabesk şarkıcısının ilk provalarından kurtulmak için cebine üç-beş kuruş koymaktan başka çareniz kalmaz.

Bütün bunlar olurken yanınıza, televizyondaki reklamlardan aşırı etkilenmiş bir genç oturabilir. Reklamlarda, çantasını veya gözlüğünü yere düşüren genç kıza cansiperane yardım eden gencin kullandığı deodorantla banyo yapmış biri. Yanınıza oturur ve çevrede oturan kızlardan birinin çantasını veya gözlüğünü düşürmesini bekler. Ne yazık ki, gerçek yaşam reklamlardan farklıdır. Genç kızlar gözlüklerini ve çantalarını kolay kolay düşürmezler. Böylece deodorantla yıkanmış gencin tüm çabası, sizin burnunuzun koku alma yeteneğini gün boyunca başka hiçbir koku almayacak şekilde köreltmekten başka bir işe yaramaz.

20 dakikanın sonlarına yaklaşırken herkes kapılara doğru bir koşu tutturur. Yolcular birbirlerini, iskele merdivenlerini, halatları, simitçi tezgâhlarını vs. çiğneyerek bir an önce karaya ayak basmaya çalışırlar. Benim inancıma göre Christof Colomb bile Amerika kıtasına ayak basarken, Hindistan'a vardığını sanmasına karşın, Kadıköy yolcularının bir kıtadan ötekine ayak basarken duydukları kadar büyük bir heyecan yaşamamıştır.

TÜRK BULUŞLARI: DOLMUŞ VE MİNİBÜSÜ ANLATIR.

Hiçbir motorlu araç icad etmediğimiz halde, trafik tarihinde adımız motorlu araçlar yeryüzünde gidip-geldiği sürece anılacaktır. Buluşlarımızdan birincisi dolmuş, ikincisi minibüstür.

Her iki taşıma yönteminin ortak özelliği ise trafiği tıkamasıdır. Başka uluslar trafiği düzenlerken, tıkanmasına razı olmadıklarından bu buluşları bulmak bize kısmet olmuş ve 'başa gelen çekilir' özdeyişine uygun olarak bugüne kadar çekilmişlerdir.

Dolmuşlar bir aracın bütün koltuklarının doldurulması gerektiği yolundaki inancımız nedeniyle icat edilmiştir. Minibüsler daha sonra icat edildiklerinden, dolmuşlara göre bir adım daha ileri götürülmüş ve bir aracın koltuk sayısından daha fazla doldurulabilmesi için yaratılmışlardır.

Minibüsler ilginç vasıtalardır. Gitmekten çok dururlar ve nereye rastgelmişse orada dururlar. Arkadaki minibüslere yol vermemek için de genellikle yolun ortasında dururlar. Aslında minibüs taşımacılığında birçok yasak söz konusudur. Örneğin durak dışında durmak yasaktır. Fazla yolcu almak yasaktır. Yolcudan fazla para almak yasaktır, ama sanırım bu yasaklara uymak da yasaktır.

Minibüs sürücüleri bir trafik polisi ile karşılaştıklarında aralarında tatlı bir muhabbet doğar:

Polis: Şöför bey, durak harici yolcu aldınız!

Şöför: İki gözüm önüme aksın ki, almadım memur bey. Bu adamı söylüyorsan, bu adam yolcu değil ki şeker abicim. Bu adam benim şeyim... Öz kızkardeşimin kocasının öz eniştesi. Öyle değil mi abem?

Polis: Yahu, mantıklı bir şey söyle hiç olmazsa.. Kız kardeşinin kocasının eniştesi ya sen olursun ya da senin kardeşin.

Şöför: Hay ağzını öpeyim memur bey... Seni böyle karşımda görünce şaşkınlıktan lafı uzatıyorum. Tabii bu arkadaş ben olmadığıma göre, kendisi benim öz kardeşim olur.(Yolcuya döner) Canım kardeşim benim, gel seni bir öpeyim. Adını bağışla.

Polis: Durak harici yolcu aldınız. 60 bin lira vereceksiniz.

Şöför: Yapma be abi mübarek günde. Ne?... Bugün Cuma değil mi? Kandil, mandil? Ramazan? Bayram? Öyleyse üstümde bozuk para yok. Bozar mısın? Para yok ki abi, neyi bozacaksın? Daha iki dakika önce işe çıktım. Bakırköy'den Aksaray'a mı? Evet, iki dakikada geldim abi. Saatte 750 kilometre hız yaptım.

Uzun etmeyelim, iki onlukta anlaşılır.

Bir tek müşteri için bile gözünü budaktan sakınmayan şoförlerin kullandıkları bu araçların bir adı da 'görünür kaza' dır. Sürücüleri trafiği altüst ederken koltuğa biraz ters biçimde oturmaları ile ünlüdürler. Sırtları kapıya, yüzleri arkaya dönüktür. Bunun da mantıklı bir nedeni vardır: Şoför hem arabayı kullanmak, hem müşteriden para toplamak, hem de yeni müşteri kollamak durumundadır.

-Bu durumda ön tarafa kim bakıyor? dersiniz... Eğer yolda iseniz siz bakacaksınız ve önünden kaçacaksınız.

Bir minibüs kazası ancak bu yolla önlenebilir.

Dolmuşları- kimsenin günahını almayalım- yine biz akıl ettik. Aynı araca birbirini tanımayan yolcuların binmesi ve yolculuk ücretinin belli bir tarife üzerinden bölüşülmesi..

Ne kadar övünsek azdır, bu yolla yolculuğu ucuzlattık, ama trafiğin içine ettik.

OTOBÜSLE ZAMAN KAYBINA PAYDOS, ONU ANLATIR.

Otobüsler her ülkede vardır, ama bizdeki gibisi pek bulunmaz. Hani müşterisi çok olmasa şu şekilde reklam verilebilir:

'Otobüslerimizde zaman kaybına paydos. Sürücülerimiz direksiyon başında dinlenir, uykularını yolda alırlar..'

O yüzden kendi ülkelerinde bir yolunu bulup intihar edemeyen turistler için birebirdir. Bir uzak yol otobüsüne binilmesi yeter. Otobüs daha menzile varmadan onlar menzillerine varacaklardır.

TAKSİLERİMİZİ ANLATIR.

İstanbul'da taksi bulmanın birkaç koşulu vardır.

Birincisi, taksi şöförünün sizin gitmek istediğiniz yöne gitmek istemesidir.

İkinci koşul havanın yağmurlu olmamasıdır. Eğer yağmurlu ise taksi şöförlerinin sizi arabalarına almaları sadece boş bir hayaldir.

Üçüncü koşul kılığınız, kıyafetiniz. Arap giysileri şöförlerimizin en çok beğendikleridir. Bunların ardından şort giyen batılı turistler gelir.

Ayrıca arabesk müzikten hoşlanacaksınız. Hoşlanmıyorsanız bile belli etmeyeceksiniz.

Kapıyı yavaş açıp yavaş kapayacaksınız. Sigara içmeyeceksiniz ancak şöförünüz içerse engel olmayacaksınız.

Bütün bu sorunlar çözüldü diyelim... Peki şöförünüzün dertlerini de dinlemeye hazır mısınız?

Önce size trafiğin kötülüğünden söz açacak; kendisine hak vereceksiniz ve suç sizinmiş gibi eziklik hissedeceksiniz. Taksimetrelerin ayarlanma zamanının gelip geçtiğini kabul ederek, ayarlama işini geciktirenleri onunla birlikte kalaylayacaksınız. Ardından sizi kendi paranızla değil, son benzin fiyatı artışları karşısında sevabına götürdüğünü, hatta üste cebinden para bile ödediğini bütün içtenliğinizle kabul edecek, gariban bir şöförün parasını yemekte olmanın suçluluğunu duyacaksınız.

Daha bitmedi. Şöförünüzün nerede oturduğu, nasıl geçindiği, kaç çocuklu olduğu, çocuklarının adları, oğlanın ne kadar afacan, kızın ise ne kadar akıllı olduğu gibi konulara büyük ilgi duyacaksınız.

Taksilerimizin dünya taksilerinden ufak-tefek farkları varsa da (örneğin kapı ve pencereleri açılmaz veya kapanmaz, kaloriferleri kışın yanmaz, yazın söndürülemez, şoför fosur fosur sigara içerken müşteriye sigara içme yasağı uygulanır) asıl fark onları kullanan sürücülerdedir.

Taksi şoförlerimizin bulundukları kent hakkında en küçük bir bilgi sahibi olmadıklarına kuşku yoktur.

O yüzden bir taksiye binip, İstanbul'un en ünlü meydanı olan 'Taksim meydanına çek' derseniz, size 'Trafalgar meydanına çek' demişsiniz gibi bakarlar.

Aslında kendisine yolu tarif ederseniz pekâlâ bulurlar ve sizi oraya götürürler, ancak sizin de yabancı (kente ve özellikle ülkeye) olduğunuzu anlarlarsa Taksim'e ya Trafalgar meydanı üzerinden götürürler ya da götürmüşçesine para isterler..

UÇAKLARI ANLATIR.

Bizde havada fazla kaza olmasa bile, bazen karada uçak kazaları olur. Bunlardan birinde çözümlenen karakutu'da şu konuşma geçmiştir:

KAPTAN: Kule görevlisi, beni duyuyor musunuz? Yeşilköy üstündeyim, iniş izni istiyorum.

KULE: İniş serbest. Görüş açık, mesafe uygun, pist biraz ıslak. İnebilirsiniz.

KAPTAN: O. K. iniş startı verildi. Hız uygun. İniş takımları açık. Fren sinyali olumlu. İniyorum.

KULE : Ama ben sizi göremiyorum. Siz ne görüyorsunuz?

KAPTAN: Otlayan inekler görüyorum. Bir adam balkonda kahvaltı ediyor ve bana el sallıyor.

KULE: O halde yanlış yoldasınız. Galiba pist bitti, siz karada uçuyorsunuz. Önünüzde ne var?

KAPTAN: 34 ZE 516 plakalı araç var, ama uçağa benzemiyor. Yoksa ben havadayken uçan otomobil mi icat edildi?

KULE: Henüz değil... Büyük olasılıkla karayolundasınız. Aman trafik polislerine yakalanmamaya bakın.

KAPTAN: Bu bir mucize.. Şimdi de yanımdan bir tren geçti. Yoksa ben Japonya'da mıyım? Bunlar süper hızlı trenler mi?

KULE: Hayır, Yeşilköy'desiniz. Gördüğünüz tren Sirkeci-Halkalı seferini yapmakta olan süper yavaş trenimizdir. Sanırım tren yoluna doğru ilerliyorsunuz.

KAPTAN: Tanrım bu nasıl iş?.. Kırk yıllık uçak pilotuyum, bir tren kazasına kurban gideceğim.*

* Demiryollarımız da vardır, ama pek belli etmeyiz. Çünkü 'Anayurdu dört baştan demir ağlarla ördükten' sonra gideceğimiz yere otomobille gitmeyi yeğledik. Deniz yolları ise, hâlâ Orta Asya ve at binme alışkanlığımız nedeniyle pek kullanılmaz. Denizi geçmek istediğimiz zaman köprüleri kullanırız. Ne var ki, artan araç sayısı yüzünden köprülerden geçmek artık denizden geçmekten daha zor hale gelmiştir.

6. BÖLÜM

DÜNYANIN EN GÜZEL KENTİ İSTANBUL'UN ELİMİZDE NE HALLERE GELDİĞİNİ ANLATIR...

Osmanlı İmparatorluğu'nun 'payitahtı', yani başkenti olan İstanbul, modern Türkiye Cumhuriyeti kurulurken biraz ikinci plana düştü. İyi ki düştü: çünkü şu sıralar hem ülkenin, hem dünyanın en kalabalık kentlerinden biri. Eğer ikinci plana düşmeseydi, büyük olasılıkla küme düşecekti.

Nüfus kalabalıktır, ama söylentiye göre 'dünyanın en güzel kenti'dir. Şimdilerde 'güzel demeye bin tanık' istemektedir, ama biz aynı savı ileri süren binlerce değil, milyonlarca tanık bulabiliriz. İstanbul'da nüfustan bol bir şey yok nasıl olsa...

İstanbul'un Fatih Sultan Mehmet tarafından fethedildiğini gösteren kesin kanıtlara karşın, son zamanlarda iş başına gelen belediye başkanları her 29 Mayıs'ta büyük bir çabayla, Beşiktaş'tan levent kılığı giydirilmiş belediye zabıtası görevlilerine çektirdikleri kadırgaları Haliç'e indirerek yeniden fethetmeye çalışıyorlar. Allah sizi inandırsın, bu törenler belki Fatih'in fethinden bile görkemli ve Fatih'in harcamadığı kadar çok paraya mal oluyor.

İstanbul insan nüfusu açısından ülkenin en kalabalık kentidir dedik.

Bu nüfusa son zamanlarda başta eski demirperde ülkeleri olmak üzere gelen sarışın hatunlar ayrı bir renk (sarı) kattı.

Rus güzelleriyle halvet olmak için Anadolu'nun bağrından kopup gelen modern Baltacılar kısa zamanda AIDS veya diğer cinsel hastalıklardan birini kaparak, memleketlerine dönüyorlar.

Memleketlerine döndükten sonra ise yakınmaya başlıyorlar. Gün geçmiyor ki, bir gazete veya TV'de hastalık kapmış bir delikanlının feryadına tanık olmayalım.

-İstanbul'a geldim, 6 ayda AIDS kaptım!

Niye yakınıyorlar anlamak olası değil!

Hatunların elinden bu kadarı geliyor. İstanbul'a Nataşa'larla buluşmak için o kadar çok insan geliyor ki, bunlardan birine

AIDS bulaşabilmesi için en az 6 ay gerekiyor. Bu gecikmede Romen ve Rus kızlarının bir suçu yok. Eğer Aksaray-Laleli yerine Romanya veya Rusya'ya gitseydiniz, orada daha az Romen ve Rus kızı kaldığından hastalık kapmanız gecikebilirdi.

Aynı şekilde İstanbul hırsızlığın, ırza tecavüz, gasp ve terör suçlarının en çok işlendiği kentimiz. Örneğin araba çalma olaylarını ele alalım.

İstatistiklere göre Anadolu'dan İstanbul'a gelen bir araba en fazla 18 gün içinde mutlaka çalınıyor veya soyuluyormuş. Aynı şekilde Anadolu'dan İstanbul'a gelen bir genç kız da en fazla 15 gün içinde başka bir açıdan 'soyuluyor' muş.

Doğrudur, araba hırsızları ne kadar çaba harcarlarsa harcasınlar, süreyi 18 günden aşağıya indiremediler. Ama gayret gösteriyorlar; yeni yollar deniyorlar, yeni meslektaşlar yetiştiriyorlar. Sık sık çıkarılan aflarla bu tıkanmanın önüne mutlaka geçilecek ve yakında arabaların çalınma veya soyulma süreleri kısaltılacaktır.

Genç kızlara gelince 'Kaderde varsa İstanbul'a gelmek, neye yarar üzülmek?...' En iyisi tadını çıkarmak..

İstanbul aynı zamanda dünyanın en çabuk değişen kentidir. Sabah evden çıkıp işinize giderken yanından geçtiğiniz yeşil alanı, akşam evinize dönerken parsellenmiş üzerine gecekondular oturtulmuş, elektriği-suyu- telefonu bağlanmış ve önüne bir otobüs durağı yerleştirilmiş olarak bulabilirsiniz.

İşte bu yüzden bir zamanlar 'bir sengine (taşına) yekpare acem mülkü' feda edilen İstanbul 'yekpare acem mülkü' gibi oldu.

İstanbul için 'İstanbul is not Constantinopolis' şeklinde şarkılar yazılırdı. Şimdi yeni bir şarkı ve şarkıcı bekleniyor. Yazılacak şarkının adı büyük olasılıkla şöyle olacak: 'İstanbul is not İstanbul '..

Buna karşılık İstanbul 2008 ya da 3008 olimpiyatlarına gözünü dikmiştir. 2008 de biraz zor, ama 3008 niye olmasın?

Eğer çok zorlanırsak 2008'de de bir yarışma düzenleyebiliriz, ama eğer spor kurallarında ufak-tefek değişiklikler yaparsak.. Zaten İstanbul'un özellikleri de mutlaka bazı değişiklikler gerektirir.

Örneğin İstanbul'da bırakın koşu yapmayı, ayakta duracak yer bile kalmadığından normal koşular yapılamaz. Bunun yerine işportacılar koşusu veya polisten kaçan kapkaççılar koşusu yapılabilir.

Engelli koşular da pekâlâ olabilir. En engellisi vapur iskelelerine doğru koşarak yapılabilir. Bu koşuda bizden başkasının kazanma şansı yoktur, çünkü önlerine çıkan, biletçi, simitçi, lahmacuncu, kasetçi, kaçak tütüncü, krik-krakçı, kâğıt mendilci ve midye dolmacıları asla aşamazlar.

Yüksek atlamak için ise ayrıca düzenekler kurmaya gerek yok. Kent kaldırımları yüksek atlama standartlarına göre yapılmaktadır ve aşabilenlere derhal madalyası takdim edilmelidir.

İstanbul iki bölüme ayrılmaktadır. Avrupa yakası ki, asıl İstanbul, Bizans İstanbul'u veya Kahpe Bizans denilen bölgedir. Ancak her şey bir yana, İstanbul denince ilk akla gelen Boğaziçi'dir. Nedense bizim aklımıza en sonunda geldi. Kısaca değinelim.

Günümüz insanları Boğaziçi'nin aşk yuvası olduğu günlere yetişemediler. Oysa yakın zamanlara kadar kıyılarında şöyle konuşmalar duyulurdu:

-Sevgilim, içimdeki hicranı ummana döksem, Boğaziçi taşardı inan.

-İnanıyorum canım... Ben de seni görünce, içime doğan aydınlığı ortaya çıkarabilsem ayrıca güneşin doğmasına gerek kalmazdı zaten vs..

Daha sonra konuşmalar biraz değişmeye başladı:

-Sevgilim bak, sen, ben, güneş, deniz, patlıcanlar ve aşkımız.. Bundan büyük mutluluk olur mu?

-Olamaz ruhum, eğer beni terkedecek olursan, kendimi Boğaziçi'nin şu lağım ve mazotla dolu sularına atarak öldürürüm.

Son zamanlarda romantizmin ve Boğaziçi'nin içine eden bir unsur da sık sık geçen ve arada sırada karaya çıkan tankerler oldular. Tankerlerden sonra yapılan konuşmalarda da bazı değişiklikler oldu:

-Korkma sevgilim, bizi bu hükümetlerin ekonomik programları bile ayıramaz.

-Ben ondan korkmuyorum zaten, üzerimize doğru gelen şu Rus şilebi ayırırsa... diye korkuyorum.

İşin bir de tanker kaptanları cephesi var elbette. Adamlar gemi kullanma ehliyetlerini denizde gitmek için aldıklarından karaya çıkınca şaşırıyorlar. Kulaklarımla duymadım, ama şöyle konuştuklarını sanıyorum:

-Kaptan şu Boğaziçi ne güzel bir yer değil mi?

-Evet, deniz bir harika, ama kara trafiği korkunç. Türk şoförlerinden ödüm patlıyor. Trafik kurallarına uymuyorlar.

-Haklısın.. geçen geçişimizde ben de bir otobüs sürücüsü ile karşılaştım. Adama yol vereyim derken yeniden denize tornistan yapmayayım mı?

-Sorma.. Ben de geçen gün bir taksi ile çarpıştım. Az kaldı başım belaya giriyordu.

-Nasıl kurtuldun?

-Alkol muayenesine gittik, şoför alkollü çıktı.

İSTANBUL'LULUK NEDİR, NE DEĞİLDİR, ONU ANLATIR...

İstanbul'un en çok göç alan kentlerin başında gelmesi yüzünden kimin İstanbul'lu olduğu, kimin olmadığı sık sık tartışılır. Duruma bakılırsa kentte yaşayan herkes İstanbul'ludur.

Sizin İstanbul'lu olup olmadığınızdan kuşkulanan bazı İstanbul'lular arada sırada karşınıza çıkarak size bazı sorular sorabilirler:

-Hemşerimg, bi bakıve heleee... Seng de benim gibi stanbollu musung?

Aslında İstanbul'lu olmanın kriterlerini saptayan bir kuruluş olsaydı ne iyi olurdu. Olmayınca işte benim tek başıma saptayabildiklerim:

-İstanbul'da kendi köyünüzü koruma derneği kurarak, köyünüzdeki gibi yaşıyorsanız..

-Kravatlı birini görünce İstanbul'lu olmadığından kuşkulanıyorsanız...

-En çok hoşlandığınız şarkıcı İbrahim Tatlıses ise ve Tatlıses'in konuşmasını 'halis muhlis İstanbul Türkçe'si budur' diye taklit etmeye çalışıyorsanız...

-Kurallara uymamanın, mutlaka uyulması gereken bir kural olduğuna inanıyorsanız...

-Arabanızda piknik tüpü, mangal, kömür ve birkaç kilo eti, her an piknik yapma imkânı çıkması olasılığına karşı hazır bulunduruyorsanız...

-Boş bir alan gördüğünüzde içinizden hemen orayı bir gecekondu ile doldurmak geçiyorsa..

-Daha büyük bir alan gördüğünüzde ise oraya burgulu veya burgusuz bir gökdelen dikmeden duramıyorsanuz, aslen Dubai'li bile olsanız...

... Hiç kuşkusuz, siz İstanbul'lusunuz.

KÖYLÜLÜK NASIL OLUR, ONU ANLATIR...

Buraya kadar kent yaşamından ve kentlerde yaşayanlardan söz ettik. Artık köylerin durumuna da bir göz atma zamanı geldi. Ülkeyi yönetenlerin her fırsatta ileri sürdüklerine göre 'cennet gibi köylerde yaşayan köylümüz çağ atlamıştır. Artık villalarda oturuyor, renkli TV, video, hatta DVD izliyorlar. Çamaşır makinesini geçtik, bulaşık makinesine sahip olanlar bile var.'

Bu bilgiler üzerine ben de harekete geçtim; köyde yaşayanlardan birini bulmalı, konuşmalıydım. Ne var ki, o sırada mevsim kıştı. Karda-çamurda Anadolu'ya gitmenin mümkünü yoktu. Televizyon haberlerine bakılırsa bu cennetlerde günde ortalama iki kişi ya donmakta, ya çığ altında kalmaktaydı. Kentler arası yollar ise Cennet'e gidiyordu, ama bu cennetin bizim köylerle alakası yoktu. Öteki dünyada idiler..

Sonunda sokakta rastladığım ve köylü olabileceğini düşündüğüm birine yaklaştım. Üstü başı düzgün, paçaları, ayakkabıları çamursuz birine. Çünkü İstanbul'lu olsa sel baskınlarından ötürü bu kadar temiz kalmasına olanak yok. Belki de köyden yeni gelmiş biri. Her olasılığa karşı sordum:

-Köylü müsünüz?.. diye.

-Evet, dedi, köylüyüm.

Aradığımı bulmuştum. Hemen sorularıma giriştim:

-Durumunuz çok iyiymiş. Politikacılar öyle söylüyor.

-Hem de çok iyi.. Köy demeye bin şahit ister.

-Ortaokul da var mı?

-Ne ortaokulu beyim, bizim köyde üniversite bile var.

-Yok artık! Bir de herkesin otomobili var deyin, bari.

-Hem de herkesin.. O yüzden köyde otopark sorunu bile var.

-İnsaf. Köyde otopark olur mu? Bırakın yolun ortasına gitsin.

-Ama trafik polisleri ceza kesiyor.

-Demek trafik polisleri köylere gidiyor artık. Ben de nerede bu adamlar diyordum. Buralarda görünmüyorlar çünkü...

-Bizim köydeler beyim,. Park edemiyoruz. Herkes otomobiline atlıyor, avara kasnak gibi dolaşıp duruyor.

-Kanalizasyon?

-Her taraf kanalizasyon. Bizim evin bahçesinde bile var.

-Bahçede mi?

-He ya, bahçede. Çiçekleri suluyoruz, gübre sorunumuz da kalmadı.

-Telefon?

-Her evde otomatik telefon.. Cep telefonları ise çifter çifter.

-Çamaşır makinesi, bulaşık makinesi?

-Alacam, ama evde avrat haylaz olur diye almıyorum.

-Belki eğlence yerleri bile açılmıştır artık.

-Ooo... Sürüsüne bereket. Meyhaneler, sinema, tiyatro, gazino hatta diskotek bile var. Bazen bunlarda yer bulamıyorsun, atlıyorsun vapura, karşıya geçiyorsun.

-Vapur da mı var sizin köyde?

-Tabii... Vapur da geliyor.

-O zaman sizin köy deniz kıyısında.

-Herhalde, fakat apartımanlardan deniz görülmüyor. Her yer yüksek binalarla dolu.

-Hangi köy bu Allahaşkına?

-Kadıköy.

-Nerede bu Kadıköy? İç Anadolu'da falan mı?

-Yok beyim Marmara bölgesinde... İstanbul'un tam karşısında...

KÖPRÜ KÜLTÜRÜMÜZ GÜREŞ SPORUNDAN GELİR, ONU ANLATIR.

Türkler'in Orta Asya'dan çıktıktan sonra bir yerde denize ulaşınca durduğunu daha önce çeşitli bölümlerde dile getirmiştim. Benimki bir tahmin, ama sanırım, tarihimizdeki ilk köprüyü Türkler birbirleriyle güreş tutarken bulmuşlardı. Ancak bu yolla denizleri ve su yollarını aşabilecekleri akıllarına gelmemişti tabii..

Fatih Sultan Mehmet 1453'te İstanbul'a girdiğinde kentte hiç köprü yoktu. Fakat Bizanslılardaki köprü düşmanlığının nedeni, büyük olasılıkla biraz da bizim yüzümüzden ortaya çıkmıştı. Türkler kente giremesinler diye su bolluğu içinde yaşadıkları halde bir köprü kurmamışlardı.. Yoksa o tarihte de dünyada köprüler bulunuyor ve kullanılıyordu.

Nitekim II. Beyazıt devrinde (1504-1506) ilk defa bir köprü ihtiyacı duyuldu ve kefereye haber salındı. Bunun üzerine ünlü İtalyan sanatçısı (o tarihte ünlü değildi elbette) 'Vinci'li Leonardo nam kafir' Galata-İstanbul arasında kurulabilecek ilk köprü projesini Osmanlı Sarayı'na gönderdi.

O mektup Osmanlı arşivlerinde unutuldu ve uygulanma fırsatı bulunamadı. Bugün Karaköy ve Eminönü denilen bölgeler arasındaki geçişler 19. Yüzyıl sonuna kadar kayıklarla sağlandıktan sonra uyduruk bir tahta köprüyle 20. Yüzyılın başına kadar idare edildi. 1912 yılında dubaların üzerine kurulan ilk demir köprü ile 1991 yılına kadar yaşayan İstanbul'lular bu köprüler üzerinde renkli günler geçirdiler.

Eski Galata köprüsü altı ve üstüyle yaşanan bir alandı. 500 metrelik mesafede akla gelebilecek her şey yapılır ve satılırdı. Bunlara ek olarak akla gelmeyecek, fakat ekmeğini taştan, topraktan ve daha bir sürü ıvır-zıvırdan çıkarmak zorunda kalan halkımızın buluşları da sergilenir ve satılırdı..

Ben son günlerinden sadece akla gelmeyecek şeyleri sayayım:

Örneğin doldurulmaz çakmaklara gaz doldurma aleti, su ile sigara yakma çubuğu, balık yakalamak için kurtçuk satışı, ağzından ateş püskürten sihirbaz ve ayılar tarafından sergilenen göbek atma- hamamda bayılma numaraları.

Halkımız bu numaraların çoğundan bıkmıştı, ama ayılarla bir tür diyalog kurmaya çok hevesliydi.

Ayı karşısındaki kalabalığa burnundan bağlı olarak mahzun mahzun bakarken

-N'aber lan ayı? şeklinde konuşma girişiminde bulunurlardı.

Zavallı hayvan ne yapsın; ağzı var dili yok. Konuşsa dilimizi bilmez, bilse ne diyecek?

Örneğin

-N'aber lan insan? diyebilir mi?..

Diyemezdi tabii. Ayı gibi bakar ve sorularına yanıt alamayan insanları 'insan' olduklarına şükrettirirdi.

Köprünün bir özelliğini daha unutmadan ekleyeyim: Sülün Osman namındaki uyanık vatandaşımızın da geçim kaynağıydı.

Anadolu'ya yeni gelmiş olanları, kendi adamları vasıtasıyla Galata Köprüsü'nün parayla geçildiğine inandırır ve Köprüye biçtiği yüksek fiyata rağmen küçük bir avansa (genellikle vatandaşın cebindeki tüm para miktarı olurdu bu) razı olurdu.

Sülün Osman sonradan tövbekar oldu. Rivayete göre tövbesinin nedeni son girişimiydi. Güya Anadolu'dan yeni gelmiş biriyle 250 milyona anlaşmışlardı. Saf (!) köylü üzerinde bozuk para olmadığını söyleyerek 750 milyonluk banknotu bozup bozamayacağını sormuştu. Adamı tongaya bastırmanın sevinciyle, henüz 750 milyonluk banknot basılmadığını unutan Sülün, paranın üstünü hamşoya ödemişti.

Ve 'boynuzun kulağı geçtiğini' anlayınca da bu işlere tövbe etmişti

En sonunda yaptırılan Yeni Köprü ise bir mühendislik harikasıydı. Şöyle ki:

Dünyada ilk defa, açıldığında 80 metre yükseklik ve genişliğe ulaşan bir köprü kapağı yapılmıştı. Anlamı: iki kapak arasından rahatça dev bir transatlantik geçebilirdi. Ne var ki, bizim köprünün açıldığı Haliç'e bir transatlantiğin girme olasılığı yüzde sıfırdan daha azdı.

Halkımıza dünyanın parasına malolan köprü, daha sonra dünya transatlantiklerinin arasından gelip geçtiği köprü kapaklarına mühendislik tekniği açısından örnek olmaktan başka bir işe yaramadı dersem belki haksızlık etmiş olurum.

Çünkü köprü işleriyle yakından ilgilenen yabancılarda 'Şu Türkler acaba hangi akla hizmet veriyorlar?' şeklinde bir ilgi de uyandırmış olabilir.

Kısacası yeni Galata Köprüsü dünya köprüler tarihine 'Rolls Royce motoru takılmış at arabası' benzetmesiyle geçti.

Boğaziçi ve Fatih Sultan Mehmet köprülerini ise yabancıların planlayıp tamamladıklarını daha önce belirtmiştim. Burada bizim tek katkımız Asya ile Avrupa kıtasını mutlaka bir köprü ile birleştirme ve iki kıta arasını ille otomobille geçme azmimizdi.

Bu iş için kırk dereden su getirildi. Köprü geçişlerinin trafiği rahatlatmak yerine kısa sürede daha da azdıracağını, İstanbul'u akıl almaz boyutlara ulaştıracağını, gecekondulaştıracağını, Boğaziçi'ni ve kenti çirkinleştireceğini, her köprünün yeni bir köprü ihtiyacını doğuracağını ileri sürenler olduysa da, hepsi kulak ardı edildi.

Boğaza 'gerdanlık' diye takılan köprüler sonunda 'kelepçe' haline geldi. Trafik azdı, İstanbul akıl almaz boyutlara ve kalabalığa ulaştı, Boğaziçi ve kent çirkinleşti, varoşlar gecekondularla doldu, yeni köprü ihtiyaçları doğdu.

7. BÖLÜM

İSTANBUL'UN DIŞINDA NELER VAR; ONLARI ANLATIR.

ANKARA (BAHTI KARA): Ankara'yı yazmaya ne kadar büyük bir iyimserlikle başlarsanız başlayın, ne hazin ki, yazacak fazla bir şey bulamazsınız. Ankara için söylenebilecek en olumlu söz 'şirin bir Anadolu kasabasının devasa boyutlara ulaşmış olduğu'dur.

Bir ana cadde etrafında mağazalar, onların arkasında evler, evlerin arkasında yine evler ve yine evler.. En akılda kalıcı yanı ve en değerli yapıtı Ata'mızın içinde yattığı Anıtkabir'dir.

Yine de her ıstanbullunun arada sırada Ankara'ya gitmesinde yarar vardır. Ankara'ya gidilir ve bir süre kalınırsa, oradan ayrıldıktan sonra nereye gidilirse gidilsin (örneğin İstanbul'a bile) hoşa gidecek, mutluluk duyulacaktır.

AKDENİZ-EGE

Bir inanışa göre Ege ve Akdeniz kıyılarımızın dünyada bir eşi daha yoktur. Gerçekten doğal güzellikler, koylarının bolluğu ve el değmemişliği, iklimi ile deniz suyunun özellikleri açısından benzerleri aransa zor bulunur.

Yalnız biraz fazla kalabalıktır; denizi görmek için denize girmeye, karayı görmek için dağa çıkmaya gerek vardır.

Yüksek sezon denilen yaz aylarında bir çay bahçesinde oturup çay içmek isterseniz, epey dikkatli olmanız gerekmektedir. Yoksa elinizdeki çayı yan masada oturan bir başkası yudumlayabilir. Buna karşılık siz de yan masada oturanın dondurmasından yararlanabilirsiniz.

Bu bölgelerde Türkçe'den çok İngilizce, Fransızca, Almanca ve Rusça konuşulur.

Yanlış anlaşılmasın: sadece turistler değil, burada çalışanlar da yabancı dil konuşurlar ve işin garibi, en zor anlaşılanlar Türk çalışanlardır. Anadillerini unuttukları gibi, bir yabancı dili de tam olarak öğrenememişlerdir.

KARADENİZ

Karadeniz Sovyetler Birliği'nde yaşanan 'yeniden yapılanma-perestroyka' ve 'açıklık-glasnost' günlerinden sonra çok değişti. Son 10-15 yıldan beri Karadeniz bölgemizde yaşananlara 'saçıklık' denebilir ki, Rusça'sını bilmiyoruz.

Saçıklık politikası SSCB'nin çöküşünden sonra Sarp sınır kapısı açıldığı zaman başladı, hâlâ sürüyor. Karadenizli delikanlıları tutabilene aşk olsun. Herkes Rusya'nın yolunu tutmuş, 'gidip geliyorlar.'

Ruslar önce çok şaşırmışlar. Çünkü gelenler arasında bir tek kadın yok. Hepsi 'sapına kadar' erkek. O zamana dek yurt dışına pek gitmişlikleri de olmayan Ruslar kuşkuya kapılmışlar.

-Acaba, diye düşünmeye başlamışlar, Türkler tek cinsli midir? Sadece erkekleri mi vardır? Kadınları yok mudur?

Allahtan bir süre sonra Ruslar da ülkemize gelmişler ve bizim normal insanlar gibi dişili-erkekli olduğumuzu anlamışlar.

-Ne var Rusya'da bizim erkeklerimizi bu kadar çeken? derseniz, bunlar üç ana başlıkta toplanabilir:

1-Kadın..

2-Kız..

3-Dul veya evli (fark etmez)...

İşte bu nedenlerle Ruslar bizi çok yanlış tanımışlar. Bizi, ayıptır söylemesi, 'biraz uçkuruna düşkün insanlar' sanmışlar ve tabii yanılmışlar.

Yanıldıkları bölümün 'biraz" sözcüğünde yattığını elbette anlamışsınızdır.

Erkeklerimizin dillerini bilmedikleri Rus kadınlarıyla nasıl anlaştıklarına gelince.. El işaretleri var. Örneğin:

Sol eli yumruk yapıp, sağ elin avuç içi ile vurmak karadeniz lehçesinde

-Bayan, çok güzelsiniz, eğer önemli bir işiniz yoksa bu akşam birlikte yemek yeme zevkini bana lütfeder misiniz? anlamına geliyor.

Ayrıca 'ingilazca' konuşanlar da oluyor.

Karadeniz'de tatil yapmak biz Türkler'in aklına pek gelmez, ama aslında gelse hiç fena olmazdı.

Karadenizlilerin büyük çoğunluğu İstanbul'da yaşadığından Karadeniz kentleri son derece sakindir. Trafiğin tıkanmadığı, hava kirliliği ve gürültünün bilinmediği, insanların üst üste yaşamadığı bir yerde -salt bu zevkleri tadabilmek için- tatil yapmanın da bir anlamı olabilir. Hele kaldırımlarda rahat rahat yürüyebilmek, arkanızdan korna çalınmadığını, karşınızdan üstünüze gelinmediğini görmek insana farklı duygular tattırabilir.

Bir de otellerin durumu var ki, tadından yenmez. Karadeniz otelleri neredeyse bomboştur. Bazı otellerde kapıdan içeri girdiğinizde dikkatli davranmanızda yarar var. Resepsiyon görevlisi karşısında gerçek bir müşteri gördüğü için şaşkınlıktan küçük dilini yutabilir.

Böyle bir otelde yaşamanın güzellikleri şunlar: Lokantaya indiğinizde istediğiniz yere oturursunuz, telefonu açtığınızda santral hiç kuşku duymadan sizin aradığınızı bilir, kapıyı açtığınızda kat hizmetçisini odanızı temizlemek için beklerken bulursunuz.

Bu avantajlarına karşılık hep izleniyormuş duygusuna kapılabilirsiniz. Eğer böyle bir duyguya kapılırsanız acaba evhama mı kapılıyorum diye endişe etmenize gerek yok. Çünkü bu sizin boş yere kapıldığınız bir duygu değildir, gerçekten izleniyorsunuzdur. Otel personeli nasıl zaman geçirecek sanıyorsunuz. En ilginç iş, hazır bir müşteri varken onu izlemektir.

Otelde gürültü de yoktur diye düşünüyorsanız, yanılabilirsiniz. Çünkü 100-150 yataklı bir otelde eğer 5 müşteri varsa, bunların hepsini aynı katta ve yan yana odalara yerleştirme becerisi açısından karadenizlilerin diğer otel personelinden hiçbir farkı yoktur.

DOĞU, GÜNEYDOĞU VE İÇ ANADOLU

Miladi takvimler kâğıt üzerinde hangi tarihi gösterirse göstersin, Doğu, Güneydoğu ve İç Anadolu'nun tarihi epey farklıdır. Bu bölgeler benzerlikleri açısından bir arada ele alınmıştır.

21. yüzyıl medeniyeti ile tanışmış herhangi biri ister Türk, ister yabancı olsun, Doğu ve Güneydoğu kent ve kasabalarını gezerken insanlık tarihinin çeşitli bölümleri arasında zevkli ve şaşırtıcı bir 'geçmişe dönüş' serüveni yaşayacaktır.

Elbette bu gezinin dönüşünde (hele bir de uçakla dönülürse) sıkı bir 'geleceğe dönüş' duygusu da yaşanabilir. Bölgede geçirdiğiniz süreye uygun olarak insanlığın ne ölçüde gelişmiş olduğunu görerek şaşırabilirsiniz.

Sık sık ilk çağlara, orta çağlara, yakın çağlara, hatta zaman zaman da yontma taş veya cilalı taş devrine girip çıkabilirsiniz. Hem bu duyguları salt geçmişin antik harabelerinde değil, günümüzün yaşayan kasaba ve köylerinde de duyumsayacaksınız.

Bu durumun şöyle bir yararı var: Doğu ve güneydoğuda yer alan uygarlıkları gezerken geçmişte nasıl yaşandığını hayal etmenize gerek yok.

Günlük yaşantınız içinde pekâlâ Urartu veya Pers uygarlığına girip çıkabilirsiniz. Yalnız, Urartu ve Pers uygarlıklarına haksızlık etmek istemem; onlar biraz daha gelişmiş olabilir.

Yerleşim alanlarının mezbeleliğine karşın doğanın güzelliği göz kamaştırıcıdır.

Bu haliyle ilginç bir turizm potansiyeli mevcuttur. Ne var ki, doğu bölgelerinde yaşanan PKK terörü 1980'lere doğru, yabancıların başlattığı doğu tatilini yarım bıraktırmıştır.

O günlerin doğu tatili neydi, derseniz şöyle bir şeydi:

Otellerde yatmak pek akıl karı olmadığından ve uygar bir insanın bu otellerde kalması mümkün olmadığından çadırınızı alıp Nemrut krater gölüne karşı kurardınız. Mis gibi hava, kuşlar, çiçekler, kertenkele ve yılanlar arasında nefis günler geçirirdiniz. Ancak bu birkaç gün sizin iş stresinizi üzerinizden atmanızı sağlamak için PEKAKA Turizmi Yatırma A.Ş. tarafından grubunuza tanınan hoş bir süre olurdu.

Asıl program daha sonra başlardı.

Bir gece çadırınızda mışıl mışıl uyurken turizm şirketiniz (!) size güzel bir 'hoş gelmişseniz...' koktelyli hazırlardı. Bir anda sağınızda solunuzda patlayan motolof kokteylleri ile uykunuzdan uyanırdınız.

Ardından grubunuza Kalaşnikof marka antika Rus silahlarını 'yakından tanıma imkânı' sağlanırdı. Bu silahların tehdidi altında eller yukarda köyler arasında bir geziye çıkarılırdınız. O köy benim, bu köy senin dolaştırılırken, Urartürk ve Urarkürt uygarlıklarında nasıl yaşandığı konusunda canlı örneklere tanıklık ederdiniz. Bu yolculuklar dünyanın en eski taşıma aracı sayılan kendi ayaklarınızla yapılırdı. Bazen çalıntı bir askeri ciple dolaşma imkânı bile tanınırdı..

Acıktığınız zaman 'her şey dahil' açık büfe menüde ekmek elden, su nehirdendi. Çaylar ise şirkettendi.

Güneş enerjisi ile ısıtılan göllerde her türlü su sporlarını yapmak (boğulmak dahil) imkânı ise zorunlu olmayıp isteğe bağlı idi. Cenaze servisinden en yakın çukura atılmak şartıyla para alınmazdı.

Ayrıca arzu edersiniz ayaklarınızın dibine sıkılan kurşunlarla 'zebbaha gadder dens.. dens.. dens..'.

Bunlar oldu, yaşandı, bitti. Fakat izi kaldı. 80'li yılların başında özellikle yabancılar arasında başlayan doğu tatili merakı canlanma fırsatı bulamadan rahmetli oldu.

Doğu otelleri de bir başka âlemdir. Bazı örnekler vereyim:

Oteller neredeyse antikadır. Elinizi attığınız her şey elinizde kalabilir. Sıcak ve soğuk su vardır, ama hangi musluktan akacağı bir bilmecedir. Kalorifer olsa dahi yanmaz, klima varsa bile soğutmaz. Sadece bir dizel kamyonun egzoz sesine yakın ses çıkararak sizi uyutmaz. Yataklar sanki yatmak için değil, odanın tabanındaki pislikten kurtulmak için oraya yerleştirilmiş bir sığınma yeri gibidir.

Personelin tutumu ise, acaba bir punduna getirip, bu herifi nasıl döverim havasındadır.

Hiç kuşkusuz bu durumlar bölgenin koşulları değiştikçe değişecektir. Ancak koşulların değişmesi birçok şeyin değişmesine bağlıdır: en başta da ülkeyi yönetenlerin..

8. BÖLÜM

TÜRKLER NASIL EĞLENİR, ONU ANLATIR.

Eğlence anlayışımız için 'Türkler kapı gıcırtısına bile dayanamaz, göbek atmaya başlarlar' denir ki, bu söz fazla doğru değildir. Belki kapı gıcırtısına oynayanlarımız da vardır, ama bu durum ortada bir çalgı aleti olmamasına bağlıdır. Bir çalgı aleti bulunduğunda kimsenin kapı gıcırtısına oynamaya kalkıştığı görülmemiştir. Zaten ülkemizde ortada bir çalgı aletinin olmadığı herhangi bir durum düşünülemez. Çaresiz kalındığında üzerinde tempo tutulan bir masa veya kâğıt takılan bir tarak çalgı aleti haline getirilir ve oynanır. Eğer masa, tarak ve kâğıt bile yoksa, işte o zaman kapı gıcırtısına oynanabilir.

Evet, fırsat buldukça oynarız, göbek atarız ve eğleniriz. Sahne sanatları anlayışımız da buna uygun olarak yıllarca gazino denilen ortamda sürdürüldü.

Gazino ortamı şöyle bir yerdi: sahneye önce tanınmamış (uvertür) bir şarkıcı çıkar, ardından bir dansöz gelirdi. Ünlü bir türkücü ile devam eden program komedyenle sürer, en sonunda da assolist sahne alırdı.

Ve sahnede ne olursa olsun herkes durmadan göbek atardı..

Bu kadar eğlenen seyirci ise gazinoyu terketmeden önce donuna kadar soyulurdu...

Bu soygun düzeni fazla yürümedi ve çöktü. Onun yerini televizyonlarda sürdürülen gazino benzeri programlar aldı.

TV programlarının da gazino düzeninden bir farkı yok. Yine oyun, yine dans, yine gülme üzerine..

Program şöyle: önce birkaç tane tanınmamış şarkıcı çıkar, ardından bir dansöz koy, ünlü bir türkücü ile devam et, komedyene geç ve en sonunda assolisti patlat..

Halkı eğlendirmek için çaba harcayan TV programcılarının aralarında neler konuştuklarını kulaklarımla duymadım, ama çıkardıkları işlere bakarak tahmin edebiliyorum. Şimdi düş gücümüzü işleterek aralarında neler konuştuklarına kulak verebiliriz:

-Çocuklar, şöyle sıkı bir program yapmak, reytingleri tavana vurdurmak ve accaip reklam alabilmek için programa İbrahim Tatlıses'i çıkarmamız şart.. Adamın reytingi korkunç..

-Bence artık İbrahim'i unut. Adam ne yapıyor biliyor musun? Nota öğreniyor.

-Yok yaa.. inanmıyorum.

-Yalanım varsa iki gözüm önüme aksın. Geçen gün alkollüyken ağzından kaçırdı. Birden 'do, re mi, fa, sol' demez mi?

-Yanlış duymuşsundur.

-Ben de önce öyle zannettim. Ne diyorsun? diye sorunca aynı notaları bir daha saymaz mı?

-Niye sadece 5 nota söylüyor. Bunlar 7 veya 8 tane değil mi?

-Ben de merak edip sordum. Bunlar nedir? diye. 'Sus kimseye söyleme bunlara nota diyorlar. Daha iki tane varmış, ama hepsini ezberleyemedim' dedi.

-Vay başımıza gelen..

-Ya.. programın kalitesini yükseltmemek için İbo'dan vazgeçmekten başka çare yok. En iyisi Kahtalı Mıçı diyorum ben.

-Tamam öyle olsun. Yeni eğlence programımızda güldürüleri yazması için de bir mizah yazarı ile anlaşırsak tamamdır bu iş.

-Mizah yazılır mı abi yaa. Sen kafayı mı yedin?

-Ya ne yapılır?

-Abi, mizah yeteneği Türk milletinde zaten doğuştan vardır. Ayrıca bir şey yazmaya gerek yok. Sen komedyeni bul, getir. Gerisi kolay.

-Ortada metin olmayacak mı?

-Metin, hatta Zeki bile olabilir. Bunlara önce tavşan dişi taktıracaksın, sonra başlarına huni geçirip...

-Huni mi? Millet anlamaz abi. Sen herkesi Oxford mezunu mu sandın?

-Canım ne alakası var huni ile Oxford'un?

-Şeker abicim... Huniyle ne yapılır? Su doldurulur değil mi?. Şimdi sen bu zamazingoyu adamın başına geçirirsen Oxford mezunu olmayanlar ne düşünecek. Ulan adama bak, su doldurma dalgasını kafasına acaba niye geçirmiş diye düşünürken, senin esprin güme gidecek. Sen komedyene sık sık dilini çıkart yeter. Bak millet ne biçim güler.

-Bir de orijinal bilgi yarışması programı yapsak.

-Tamam yapalım da soru bulmak çok zor. Ne sorarsan sor, bizim milletin bir tek yanıtı var: Yanıt yok.

-Canım çok kolay sorarız.

-Mesela?

-Mesela iki kere iki kaç diye sorarız. Bilemezse üç artı bir diye ip ucu veririz.

-Abi sen herkesi matematik olimpiyatları şampiyonu zannettin galiba. Bir kere matematiği, fiziği, kimyayı geç...

-Coğrafya'ya ne dersin?

-Başkentimizi soracaksın vazgeç. Bilemiyorlar.

-O zaman biz de 'Türkiye'nin başkenti Ankara' deriz.

-Peki soru bunun neresinde?

-Tamam işte. Soru bunun neresinde deriz. Yani cevabı biz veririz, soruyu o bize sorar.

-Bak, bu fena fikir değil!

Son zamanlarda daha rafine vatandaşlar için gazino ve TV eğlenceleri yerine Laila veya Reina denen eğlence mekânları da açıldı.

Bunların kapılarında uzun boylu kızlar ve kapı gibi erkekler duruyor. Size bir bakış attıktan sonra ya geçer not veriyorlar ya da başlarından savıyorlar.

Tahminlere göre kapıya yerleştirilen kişilerin sizin maddi durumunuzu, banka hesaplarınızı, gayrimenkul tapularınızın sayısını, hisse senedi portföyünüzün kalınlığını görmeden hesaplayabilme konusunda doğuştan gelen bir yetenekleri var.

Olabilir ki, siz üç kuruşu denkleştirip oraya gelmişsinizdir. Üzerinizde eşten dosttan edinilmiş pahalı giysiler vardır. Felekten bir gece çalmak uğruna pahalı bir otomobil kiralamışsınızdır.

Hiç fark etmez; durumunuzu 'şıp' diye anlıyorlar ve bir bahane bulup başlarından savıyorlar:

-Damınız yok.

-Damımız (çatı) yok.

-Yerimiz yok.

Ama paranız varsa Laila'da veya Reina'da eğlenmek sizin de hakkınız.

Arabanıza atlayıp Boğaz kıyısına gidin, aracınızı yoldan geçen birine teslim edip, eline bir 50'lik banknot tutuşturun. Arabanız geri gelirse ne ala! Gelmezse, eve taksiyle döner, arabanın parasını sigorta şirketinden istersiniz.

İçerde mutlaka etrafınıza adam dövecekmiş gibi bakın. Üstünüzde ne kadar para varsa hepsini ortalığa saçın.

Buralarda bir süre kaldıktan sonra şu izlenimleri edinebilirsiniz: Türkiye'de erkekler esmer, kızlar sarışın olarak dünyaya gelirler. Arada bir-iki esmer kadına rastlansa bile, bunlar büyük olasılıkla yabancıdırlar.

Erkekler başlarını hiç ara vermeksizin sağdan sola, soldan sağa yavaşça çevirirler. Durumu bilmeyen biri, bunu ülkemizde yaygın bir boyun adalelerini güçlendirme hareketi sanabilir. Oysa amaç çevredeki hatunların kısa süre önce saptanmış pozisyonlarını değiştirip değiştirmediklerini anlamak, kimin yalnız olduğunu ve kimin olmadığını öğrenmektir.

Kadınlar ise dikine hareketler içindedir. Müziğe uygun sıçrıyormuş gibi yaparak çevrelerini saranların dışında kalanlara da kendilerini göstermeye çalışırlar.

Gürültü çok fazla ve fiyatlar epey pahalıdır. O kadar ki, bunlardan birinin önünde meydana gelen bir gemi kazasında, kazazedelerin 'imdat' çığlıklarının gürültü yüzünden duyulamadığı iddia edilmiştir. Bu sav doğru olabilir. Zira hesabı ödeyenlerin attıkları imdat çığlıkları da garsonlardan başkası tarafından duyulamaz.

STARLARIMIZI ANLATIR.

İnsana ilk bakışta sonsuz sayıda starımız, hatta birkaç tane de süperstarımız varmış gibi görünürse de, bunları en fazla dört-beş ana başlık altında toplamak mümkündür.

Tarihteki ilk starımız Münir Nurettin SELÇUK'tur ve artık çok az kimse tarafından bilinmektedir. Hatta ilk starımız olduğu bile pek bilinmez. Osmanlı Devleti'nde II. Abdülhamit döneminde (1900) doğmuş, Cumhuriyet'in ilk yıllarında star olmuştur.

M. N. Selçuk'un star olabilmesi için sahneye frakla çıkması ve şarkılarını ayakta okuması yetmiştir. Bunlar o dönem için büyük yenilikler olarak kabul edilmiştir. Ondan öncesinde şarkıcılar sahneye toplu olarak çıkarlar ve şarkılarını oturarak söylerlerdi. Üzerlerindeki giysiler ise evlerinde kullandıkları giysilerden farklı değildi.

O yüzden Münir Nurettin Selçuk tek başına sahneye çıkıp, frak giydiği ve ayakta şarkı söylediği için, günümüzün Michael Jackson'u kadar ilgi çekmişti. Sonradan 'baston yutmuş gibi' diye tanımlanacak bu şarkı okuma yöntemine duyulan tepkiler, zamanla tam zıddı sayılabilecek Zeki Müren tarzını ortaya çıkardı.

ZEKİ MÜREN: Türk, hatta dünya starları tarihine önemli bir yenilik getiren Zeki Müren, Münir Nurettin Selçuk'un tersine çok hareketli bir tarz tutturmuştu.

Selçuk frak giymişse, o şort veya eteklik giymiş, Selçuk ayakta durmuşsa, o yere uzanmış, Selçuk'un 'baston yutmuş' tavrına karşı, o sanki 'yılan yutmuşçasına' hareketli olmuştur. Böylece star tarihimizdeki asırlar süren hareketsizliğe bir denge getirmiştir.

BÜLENT ERSOY: Zeki Müren'in cinsiyet ameliyatı geçirmişidir.

Diğer starlarımız Zeki Müren ile Bülent Ersoy arasında bir yerde, ne olacaklarına henüz karar vermemiş olanlardır.

Halkımız nedense 'erkek, ama kadın gibi' görünen sanatçılara gösterdiği büyük ilgiyi, oldukları gibi görünenlere göstermemiştir.

Bunda da Osmanlı döneminden kalma bazı alışkanlıkların rolü olduğu sanılmaktadır. Örneğin o dönemde kadınlar zinhar sahneye çıkamamış, sahnelerde erkekler kadın rolü oynamıştır. Bu durum eğlence arayan ve çoğunluğu erkek olan ecdadımızın 'göz zevkini' değiştirmiş olmalıdır.

DÜNYANIN EN CİDDİ İŞİ OLAN GAZETECİLİĞİ NASIL EĞLENCEYE DÖNÜŞTÜRDÜK, ONU ANLATIR.

Dünyanın her yerinde 'dünyanın en ciddi uğraşı' sayılan gazeteciliğin bizde eğlence dünyasına dahil olması, özel TV kanallarımız sayesindedir.

İşin aslına bakarsanız, 20. Yüzyılın son çeyreğinde eğlence hayatımıza 'görsel medya' denilen TV'ler egemen olmuştur. Daha sonra yazılı medya denilen gazetelerimiz de aynı yöntemlere başvurmuştur. Hatta son olarak İbrahim Tatlıses bir gazetede köşe yazarı olmuştur.

Bizde sadece eğlence programları değil, haber programları ve araştırmacı gazetecilik örnekleri de eğlencelidir.

Örneğin haber saatinde aynı haber ekranda en az 8-10 kere dönmüyorsa, bizim seyircinin haberin tadını çıkaramayacağı ve eğlenemeyeceği varsayılır. Oysa yukardan beri anlattığımız gibi halkımız oldukça zekidir... Aynı haber arka arkaya sekiz-on kez geçtiğinde o gün TV'nin haber merkezinde, haberlerden ziyade tavla partileri ile meşgul olunduğunu ve saat doldurmak için aynı haberlerin döndürülüp durduğunu kolayca anlar.

Basın dünyasında durumun nereden nereye geldiğini anlamak için eski ile yeniyi kıyaslamakta yarar var.

Her şey değişirken Türk basının da büyük değişikliklere uğradığını kabul etmek gerekiyor.

Aradaki farkları belirtmek gerekirse...

Eskiden gazeteciler her yere zor bir yoldan girmeye meraklıydılar.

Örneğin ' en sıkı' gazeteciler bile İsmet Paşa'nın konağına kapıdan girmeyi akıllarının köşesinden geçirmezlerdi. Genellikle bahçe duvarından atlanarak girilirdi. Değişiklik olsun diye zaman zaman ağaçlara tutunularak, pencereden Paşa'nın bulunduğu odanın ortasına düşülürdü. Sonraları deneye yanıla yeni bir yol bulundu: Kapıdan girmek.

Kapının zili çalınınca açılıyor ve gazeteci buradan içeriye alınıyordu. Bu yöntem uzun süre Türk basın mensuplarının aklına gelemedi.

Aynı şekilde gizli toplantılara gazetecilerin garson, ahçı, vs. kılığında girmeleri de eskiden çok modaydı.

En beğenilen gazeteciler, siyasi bir toplantıyı garson kılığında izleyen ve en iyi cintonik hazırlayabilenlerdi. Elbette içki servisi yaparken bir de fotoğraf çekmek gerekiyordu ki, sanıldığının tersine işin en kolay yanı burasıydı.

Foto muhabirleri ellerini kollarını sallayarak kapıdan girerler ve garson giysileri içindeki meslektaşlarını tam Adnan Menderes'e içki sundukları sırada görüntülerlerdi. Kimsenin aklına bir gazetecinin içeriye 'gazeteci' olarak girebileceği gelmediği için işlerini rahatça görürlerdi.

Bu yöntemden sonraları vazgeçildi. Çünkü görüldü ki, garson veya aşçı kılığında izlenen toplantılarda pek fazla bilgi edinilemiyordu. Edinilse bile bu bilgiler haber açısından fazla bir değer taşımıyordu. Çünkü şu türden bilgilerdi:

-Bu kanapeler nefis olmuş.

-Oğlum, cintonik öyle yapılmaz. Önce cinle buzu çalkalayacaktın, sonra toniği koyacaktın.

-Elbasan tavanın en iyisi patlıcan sosu ile yapılandır... vb. gibi..

Çekirdekten yetişmiş bu tür gazeteciler yerlerini sonraları okullulara bıraktılar. Çekirdekten yetişmiş olanların iyi tarafı, her şeyi gazetelerde ustalarından görerek, dinleyerek ve öğrenerek çok iyi cintonik hazırlayabilmeleriydi. Okullular ise bir tek haber kovalamadan, bir tek röportaj yapmadan, bir tek kare fotoğraf çekmeden gazeteci oluyorlar. Bir zamanlar çalıştığım gazetelerin birinde bir okullu gazeteci tanımıştım. Gazeteye trafik kazasına uğrayan ikizlerle ilgili bir haber getirmişti Gerçekten çok ilginçti:

Çünku genç gazetecinin haberine göre 'ikizlerden biri iki, diğeri üç yaşındaydı'. Tüm ilginçliğine karşın bu haber gazetede yer almamıştı.

Eskiden gazeteciler aşırı meraklı olurlardı. Örneğin bir konuyu merak ettikleri zaman oturur incelerler ve ilgilendikleri konuda hem kendilerinin, hem okuyucuların meraklarını giderirlerdi.

Yanlış anlaşılmasın, şimdikiler meraklı değil demek istemiyorum. Tersine çok meraklılar. Ne var ki, bu meraklarını gidermek için fazla bir şey yapmıyorlar. En fazla yaptıkları bu konuda bir yazı yazarak 'Yahu çok merak ediyorum acaba falan... konu ne oldu?' şeklinde sorular sormak.

Yetkililer bir açıklama yaparlarsa ne ala. Yapmazlarsa bu arkadaşlar yaşamları boyunca meraklarını sürdürüyorlar.

Kısacası insanlar değişti, gazeteler değişti, teknoloji değişti, fiyatlar değişti, binalar değişti, gazetecilik anlayışları vs. değişti. Hatta dünya değişti, ama bir şey değişmedi. Türk halkının gazete okumama alışkanlığı...

Neden acaba? Yahu çok merak ediyorum, birisi bu konuyu araştırsa da öğrensek..

'Araştırma...' deyince araştırmacı gazetecilik akla geliyor ister istemez.

Abdi İpekçi, Çetin Emeç, Uğur Mumcu ve Turan Dursun gibi araştırmacı gazeteciler suikastlar sonunda öldürülünce araştırmacı gazetecileri bekleyen tehlike ortaya çıktı:

Sokakta ölüm...

Bu nedenle artık araştırmacı gazetecilik şöyle yapılıyor:

Akşam Ece Bar'da veya Arif'in Yeri'nde bilgi toplama işine girişiliyor.

İlk bilgiyi kafayı bulmuş bir bar müdavimi ortaya atıyor ve çevresini saran araştırmacı meslektaşlarına ipuçlarını veriyor:

-Arkadaşlar, ben dün gece içkiyi biraz fazla kaçırmışım. Sızdıktan sonra şu yolsuzluğu falan kişinin filan gerekçeyle yaptığını fark ettim. Bunu bir araştırsanız...

Araştırmacı gazetecinin aklı bu bilgiye 3. veya 4. kadehten sonra iyice yatıyor.

Hele bir büyük devrildikten sonra ortada faili meçhul tek kadeh rakı kalmıyor.

Hemen eve kapanıp araştırmacı gazeteciliğe soyunan meslektaşımız duşunu aldıktan sonra uyumaya başlıyor.

Düşünde topladığı bütün bilgiler bir araya geliyor, hatta fazladan araya iri göğüslü, uzun bacaklı bir manken bile karışabiliyor. Böylece öğleden sonra uyanan gazetecinin aklında kalanlar, akşam bülteni için tam bir 'şok haber' oluşturuyor.

Fazla zaman kaybetmeden giyinip bürosuna koşan meslektaşımız arşivleri taramaya girişiyor. İri göğüslü, uzun bacaklı mankenin en iç gıcıklayıcı pozlarını 'araştırmaya' başlıyor..

Gerisi artık kolaydır.

Bir korku filminden alınan sahneler, iri göğüslü, uzun bacaklı mankenin apış arasına serpiştirildikten sonra bir tabanca fotoğrafı ile dolar veya euro'ların sayılmasını gösteren bazı yakın plan çekimler, kimin ne dediği belli olmayan birkaç telefon konuşması ve kimsenin bütünüyle görünmediği 8-10 ayakkabı ile diz altından pantolon görüntülerini içeren gizli kamera çekimleriyle senaryo tamamlanıyor.

Bu senaryonun güzel yanı, TV kanallarında haber programı olarak sunulabileceği gibi, istenirse sinemalarda gangster filmi olarak da gösterilebilmesidir.

Abdi İpekçi'ler, Çetin Emeç'ler, Uğur Mumcu'lar boşu boşuna bilgilerle, belgelerle, kanıtlarla, suçlularla, katillerle uğraştıkları için sokakta öldüler.

Sonradan işin kolayı bulundu.

Bu işin bir tek tehlikesi var: Yatakta ölüm.

9. BÖLÜM

EKONOMİMİZİN MATRAK TARİHİNİ ANLATIR.

İnsanlığın ilk çağlarında para yoktu. Ekonomi sadece insan emeğine dayanıyordu. Örneğin bir adam emek harcayarak ormanda bir geyik avlıyordu. Amacı geyiğin eti ile beslenerek açlıktan ölmemek, derisini de giysi yaparak soğuktan donmamaktı.

Ancak bu sırada ortaya çıkan bir başkası, yine emek harcayarak geyiği avcının elinden alıyordu. Bu durumda geyik avcısı onca emeğine karşın kafasında kocaman bir sopa darbesiyle kalakalıyordu.

Paranın bulunmasına kadar geçerli olan ekonomik yöntemlerden biri de değiş-tokuştu.

Bu ilkel ekonomik sistemde insanlar karşı karşıya gelerek ellerindeki malları değiştiriyorlardı.

Örneğin tarlasını ekip biçerek buğday üreten adam ürününü, soğuktan donmamak için hayvan derileri ile değiştiriyor, elinde hayvan derisi olan avcı da bunları açlıktan ölmemek için buğdaya karşılık veriyordu. Sonuç fazla değişmiyordu. Soğuktan ölmemek için uğraşan çiftçi açlıktan, açlıktan ölmemeye uğraşan avcı da soğuktan ölüyordu.

Paranın bulunuşuna kadar böyle sürdü. Parayı bulan uyanıklar ise ne soğuktan, ne açlıktan ölüyorlardı. Çünkü bunlar ellerindeki parayla buğday, geyik eti ve hayvan derisi satın alıp başkalarına satıyor, aradan elde ettikleri kazançlarla da kendi geçimlerini sağlıyorlardı.

Bu yöntemde geyik avcısı ve buğday üreticisi yine aç kalıyordu, ama bu kez ellerinde bir sürü para oluyordu.

Sonra devir değişti ve bugünlere gelindi.

İnsanlık sonunda ekonomi ilmini iyice ilerleterek insanların cebindeki paraları daha çağdaş yöntemlerle tırtıklamanın yollarını buldu.

Bunlara şimdi kısaca 'yatırım araçları' diyoruz.

Altın, faiz, borsa, hisse senedi, tahvil, bono, eurobond, repo, ters repo, fon, döviz gibi adlar altında insanlık tarihinde yerlerini almış bulunuyorlar.

Özellikle borsa ve daha özel olarak İMKB için şu söylenebilir:

'Cepteki bir lira, Borsa'daki iki liradan iyidir.'

Başka bir deyişle İMKB'nın açılmış hali 'İsterseniz Menkul Kıymetlerinize Boşverin'dir.

Zaten insanlık tarihine ekonomik anlamda 'cebinizdeki paranın tırtıklanmasının tarihi' de diyebiliriz.

Parayı Fenikeliler bulmuşsa da, Türkler kaybetmişlerdir. Ülkenin başına kim gelirse gelsin, Maliyenin kadrolu kedisi ARAP (PARA'nın tersi), sermayeyi yüklenme görevini üstlenmek zorunda kalmıştır.

Bunda Türkler'in vergi vermeyi fazla sevmemelerinin de rolü vardır. Neden sevmediklerine gelince, bu durumun tarihi, genetik ve jeopolitik nedenleri olduğunu ileri sürenler var.

Örneğin İstanbul Arkeoloji Müzesi'nin değerli sümeroloğu Veysel Donbaz yazdığı bir kitapta İ. Ö.2000 yılında (günümüzden 4000 yıl önce) yazılmış çivi yazılı tabletlerden birini Türkçe'ye şöyle çevirmiştir:

'Başınızda korkutucu bir kral olabilir, ama insan en çok vergi memurlarından korkar..'

Bu tabletten hareketle ve Sümerlerin bizim topraklarımızda yaşamış insanlar olduğunu göz önüne alırsak, vergi korkumuzun genlerimizde yattığı anlaşılabilir.

Büyük Atatürk her konuda olduğu gibi bu konuda da korkumuzu kırmak için incelikli bir söz söyleme gereği duymuş ve bütün vergi dairelerimizin girişinde asılı bulunan 'Kendini vergilendiren halk millettir' sözünü yerleştirmek istemiştir.

Ne var ki, bu özlü sözü de her zaman olduğu gibi ters tarafından anlayan halkımız 'herkesin kendi kendini vergilendireceğini' sanmış, daha doğrusu 'vergi vermenin kendine kalmış bir iş olduğuna' inanmıştır.

Bu yanlış anlamada başka faktörler de rol oynamıştır.

Genellikle vergi istenirken halka bu paraların kendisine 'yolsu-elektrik' olarak geri döneceği söylenmiştir.

Ne var ki, halk ödediği paraların kendisine genellikle 'yolsuz-luk 'olarak geri döndüğünü görmüş, o yüzden vergi vermekte pek istekli davranmamıştır.

Bir de şu var:

Bordro mahkûmları dışındaki insanlar yıl sonunda ne kadar vergi beyan ederlerse 'Allah razı olsun' deniliyor.

Ve bekleme dönemi başlıyor. Adam vergisini öderse ne ala... Ödemezse

-Aman gözünü seveyim, geciktirme.. demekle yetiniliyor.

Yine vermezse

-İnsanlık hali bu, başın sıkışık olabilir. Paran yoksa kredi verelim.. diye sıkıştırılıyor.

Krediyi aldığı halde yine vergiyi ödemezse, adı vergi vermeyenlerin listesine yazılıp, kiralık kasada saklanıyor.

Yine vermezse

-Bu yıl olmazsa gelecek yıl verir.. diye düşünülüyor.

Gelecek yıl da vermezse, artık affediliyor...

Örneğin aşağıdaki konuşma bir iş adamı ile muhasebecisi arasında ülkemizde vergi ayı denilen Mart başında geçen bir konuşmadan alınmıştır.

İŞ ADAMI: Muhasebeci Bey, geçen gün başbakan televizyonda bütçeden söz ederken garip bir laf kullandı. Yanlış anlamadıysam mart ayı geldi, 'virgi zamanı' gibi bir şey dedi. Bu lafı bir yerden duymuşluğum var, ama tam olarak anlayamadım. Yeni bir muhasebe terimi mi acaba?

MUHASEBECİ: Vergi demiş olmasın?

İŞ ADAMI: Galiba.. Ben İngilizce ve Fransızca bildiğim halde çıkaramadım. Hangi dilden bu terimler. Çince falan mı?

MUHASEBECİ: Yok efendim Türkçe'dir. Vermek fiilinden geliyor.

İŞ ADAMI: Peki anlamı ne?

MUHASEBECİ: Kazancın bir bölümünün devlete verilmesi anlamına..

İŞ ADAMI: Neden?

MUHASEBECİ: Böyle bir yasa var efendim. Devletin masraflarını karşılamak için.

İŞ ADAMI: Yahu, ben devletten daha mı zenginim Allahaşkına? Nedir bizim durumumuz tam olarak?

MUHASEBECİ: Bu yıl ciromuz 2 trilyon. Masraf 500 milyar, net kazancımız 1,5 trilyon. Bu hesaba göre 500-600 milyar vergi vermemiz gerekiyor.

İŞ ADAMI: Böyle bir para.. Ne diyordunuz o paraya siz? Versi mi?

MUHASEBECİ: Vergi efendim.

İŞ ADAMI: Her neyse, dilim bile dönmüyor. Zaman zaman iş adamı arkadaşlarla sohbet ederiz biz. Bu kelimeyi kullanana hiç rastlamadım.

MUHASEBECİ: Doğrudur. İş adamları çevresinde pek kullanılmıyor. Daha ziyade işçiler ve memurlar veriyorlar.

İŞ ADAMI: Madem onlar veriyorlar, bizden niye isteniyor?.

MUHASEBECİ: Malum isteyenin yüzü bir kara. Verirseniz ne ala..

İŞADAMI: Peki vermeyince ne oluyor?

MUHASEBECİ: Birkaç kere daha istiyorlar.

İŞADAMI: Yine vermeyince...

MUHASEBECİ: Peşinizi bırakıyorlar.

İŞ ADAMI: Ya verirsek...

MUHASEBECİ: Verirseniz alıyorlar, karşılığında madalya veriyorlar.

İŞ ADAMI: Bırak canım, ne Şam'ın şekeri, ne arabın yüzü...

Bu konuşmaları şaka sanıyorsanız yanılırsınız. Devlet Baba'nın gözleri iyi görmediğinden tuttuğunu öpmek gibi bir huyu vardır. Kaçan ise kurtulur.

Peki vergi alınamazsa devlet işleri nasıl yoluna koyar? Bu iş için borç almak dışında son zamanlarda Kamu İktisadi Teşebbüslerini (KİT'ler) satmak, başka bir deyişle özelleştirme yöntemi de kullanılıyor.

Özelleştirmenin ne demek olduğunu anlamak için önce KİT'lerin nasıl ortaya çıktığını görmekte yarar var.

Çok bilinen bir konudur, ama kısaca yineleyeyim:

KİT'ler devlet tarafından kurulan ve işletilen şirketlerdir. Artık yeni KİT üretilmiyor fakat eskiden bu iş şöyle yapılırdı:

Önce devletin yetkili kuruluşları örneğin Devlet Planlama Teşkilatı tarafından KİT'in uğraşacağı alan saptanırdı.

İşin en kolay bölümü burasıydı. Çünkü iş adamlarımız zaten dört koldan devleti sıkıştırırlardı. Örneğin 'x' maddesini üretmekte olan bir iş adamı, bu maddeyi üretebilmek için gereksinimi olan 'y' maddesini ekonomik yollardan elde edemediği için devletin kapısını aşındırmakta ve sık sık TV'lerde boy göstererek şunları söylemekteydi:

'Memleketin en önemli ihtiyacı olarak bugün karşımıza 'y' maddesi eksikliği çıkmaktadır. Biz bu vatanın, milletin fedakar ve cefakar müteşebbis evlatları olaraktan 'y' maddesi üreten bir KİT kurulmadan rahat yüzü göremeyeceğimizi bildiririz. Eğer devlet 'y' maddesi fabrikası kurarsa, arada sırada vergi dairelerine bile uğrayacağımıza yemin ederiz.'

Ülkenin değerli planlamacıları, bilim ve film adamları vardır; bunlar birkaç iş adamı istedi diye 'y' maddesi üretecek, bir fabrika kuracak değillerdir elbette.. Aralarında toplanır, konuşurlar ve sonuçta 'y' maddesi üretecek bir fabrika kurulmasının, kalkınmanın 'olmazsa olmaz' ön koşulu olduğu yolunda bir karar alırlar ve fabrikanın kurulması aşamasına geçilir.

Elbette bu iş kafadan yapılmaz. Önce iyice araştırılır ve 'y' maddesinin ham maddesi olan ' z' maddesinin en çok bulunduğu bölge saptanır. Raporlar hazırlanır fakat bunlarla yetinilmez. Yurt dışından uzmanlar getirilerek bir kez daha saptanır. Yine yetinilmez. Başka bir ülkeden de 'know how' getirilir ve bir kez daha saptanır.

Ancak bundan sonra fabrikanın nereye yapılacağına karar verilir. Bu bölge 'y' maddesinin ham maddesi olan 'z' maddesinin bulunduğu bölgeye en uzak bölge olmalıdır ki, bir taşla iki kuş vurulsun ve taşıma sektörüne de aradan iş çıkarılabilsin. Hatta bir taşla üç kuş vurulmak isteniyorsa biraz daha araştırma yapılır ve 'y' maddesinin üretildikten sonra nerede satılacağı dahi göz önüne alınarak, fabrikanın o bölgeye de oldukça uzak bir yerde kurulmasına dikkat edilir.

Bundan sonrası artık kolaydır. Devlet parayı verir, müteahhitler İnci Baba* yöntemiyle fabrikayı inşa ederler ve anahtarını devlete teslim ederler.

İşletmeye hazır hale gelen fabrikayı teslim alan devlet, plancıları ve bilim adamlar ile yeniden görüşmeler yapar, planlar hazırlar ve fabrikanın gereksinim duyacağı personel sayısı da uzun araştırmalar sonunda saptanır. Diyelim ki bu sayı yılda 1000 ton 'y' üretmek için 1000 işçidir. Oysa o sırada iş bekleyen; cumhurbaşkanı, başbakan, bakan, bakan yardımcıları, müsteşarlar, müşavirler, milletvekilleri, belediye başkanları, parti il, ilçe ve bucak başkanları yakınları ilee muhtarlar ve hısım akrabaları olarak 10 bin kişi bulunmaktadır.

Bu zorluk da bilimsel araştırmalar sonucu çözümlenir ve hemen yeni bir araştırma yapılır. Hesap çok yalındır: Yılda 1000 ton 'y' yerine 10.000 ton üretilmesi yolunda bir karar alınır. O zaman haliyle fabrikanın gereksinim duyacağı işçi sayısı 10.000'e ulaşır. Politikacıların yakın çevresinde işsiz adam bırakılmayarak istihdama sağlanan katkıyla dördüncü kuş da vurulur.

Ne var ki, ülkenin 10.000 ton değil sadece 1000 ton 'y' maddesine gereksinimi vardır. Olsun. Ne gam!. Öyleyse 1000 ton üretilir. Böylece beşinci kuş vurulurken 'y' maddesinin fiyatı, yurt dışındaki fiyatının beş katına çıkarılır..

Fazladan bir kuş daha vurulmasının önemi şuradadır ki, 'y' maddesine duydukları gereksinim nedeniyle fabrikanın kurulmasını isteyen iş adamları, artık bu maddeyi yurt dışından getirmeye başlarlar.

Dolayısıyla bizde üretilen 'y' maddesi satılmaz olur. Bunun üzerine acaba işe yarar mı diye fiyatı biraz daha artırılır. Yine satılmayınca biraz daha işçi alınır. Sonuç yine değişmez ve bu iş böyle sürer gider.

* Biraz ilerde anlatılacak.

Bu durumda en akıllıcası KİT'in satılmasıdır ki, bu iş son zamanlarda birçok örneğinde görüldüğü gibi çok pratiktir.

Devletin ihale usulü üzerinde de durmaya değer. Buna kısaca İnci Baba yöntemi denir ve birkaç on yıl önce ölen Nabi İnciler'den esinlenmedir.

Nabi İnciler'in meslek hanesinde müteahhit yazıyordu, ama çalışma tarzı epey değişikti.

Diyelim ki devletin bir işi ihaleye çıkarılacak. İhale araya hile karışmasın, devletin işi en ucuza görülsün diye bulunmuş bir yöntemdi. Tüm müteahhitlere açık olurdu. Hesabını kitabını yapan müteahhit önerisini kapalı zarf içinde devlete sunardı.

Devlet Baba da zarfları açar, en uygun fiyatı öneren firmaya işi teslim ederdi.

Ne var ki, Devlet Baba'dan önce İnci Baba devreye girer, ihaleye katılmak isteyen müteahhitleri bir araya toplayarak küçük bir nutuk atardı.

Allah için güzel konuşurdu. İnsanın 'bacağını kıracak' ölçüde güçlü bir konuşma ve inandırma yeteneği vardı.

-Muhterem mütayit kardeşlerim, diye söze başlar ve lafının gerisini söyle tamamlardı:

-... Dikkatinizi çekerim, İnci Baba konuşuyor, Şam babası değil.

Bu laf üzerine müteahhitler dikkat kesilirdi. Zira İnci Baba'nın lafına dikkat etmeyenlerin bir süre sonra diz kapaklarında bir sorun çıkacağı iyi bilinirdi.

İnci Baba'nın önerileri son derece açık olurdu. Bunlar ihaleyi müteahhitlerden birinin kazanabilmesi için kapalı zarflara yazılacak rakamlardı ki, böylece devlet işini 'uygun' fiyata yapacak olana değil, İnci Baba'nın uygun gördüğüne vermiş olurdu.

Olaydan kimse yakınmazdı. Tersine, hem hâlâ kendi ayakları üzerinde durmanın, hem de havadan para kazanmanın sevincini yaşarlardı. Zira işi kazançlı şekilde kapatan müteahhit devletten aldığı avansın bir kısmını, diğer müteahhitlere ve elbette İnci Baba'ya dağıtırdı.

Bakmayın bunları yazdığıma... Uzman gözlerin hemen fark edebileceği gibi ekonomiden hiç anlamam. Fakat öğrenmek için çabalamadığım söylenemez. Örneğin şimdilerde epey düşmüş bulunan enflasyonun neden bir türlü düşürülemediğini uzun süre incelemiş ve ünlü ekonomistlere akıl danışmıştım.

Aşağıda bu konuşmalardan birini örnek olarak sunuyorum:

-Sayın ekonomist, siz bu işin okulunda okudunuz. Biz ise her şeyi yaşam okulunda cebimizdeki paraların uçup gittiğini görerek öğreniyoruz. Enflasyonu düşürmek bu kadar zor mudur?

-Hayır, çok kolaydır.

-Nasıl yani?

-Herşey arz ve talebe bağlıdır. Mal az, yani arz az olursa talep artar, fiyat yükselir. Mal çok yani arz çok ise talep azalır, fiyat düşer.

-O halde bizim sorunumuz mal azlığı, çözüm ise malı çoğaltmak olmalı.

-Bakın, hemen anladınız. Bundan sonra oturup ekonomi üzerine kitap, makale yazabilir, dergilerde, TV'lerde görüşlerinizi açıklayabilirsiniz Başbakan'a, Cumhurbaşkanına ekonomik konularda danışmanlık yapabilirsiniz.

-Biraz daha açıklarsanız neden olmasın?

-Açıklayayım. Et fiyatlarını ele alalım. Bir kilo etin kilosu 10 lira ise ve buna iki kişi talipse et fiyatı hemen 11 lira olur.

-Bunu biliyorum, kasapta her gün başıma geliyor zaten. Tersinin olması için ne yapmak lazım, siz onu söyleyin.

-İki kilo ete bir kişinin talip olması lazım. Ertesi gün fiyat 9 liraya düşer. Hatta kimse talip olmuyorsa 8 liraya iner. Yani ya et alınmayacak ya da fazla et üretilecek.

-Yanlış anlamadıysam, eğer et yemek istiyorsak, et yemeyeceğiz.

- Aynen öyle..

-Bana pek mantıklı görünmedi.

-Bu işlerde mantık aramayacaksınız. Ekonominin mantığı yoktur. Sizce mantıklı olan nedir?

-Et 8 lira olsun ve herkes yiyebilsin.

-O halde herkese bir kilo et düşecek kadar et üreteceksiniz.

-Bu kadar basitse niye yapılmıyor?

-Çok basit olduğu için... Et üretmek için ne gerekir?

-Bilmem, hayvanın erkeği ile dişisi galiba...

-Sizin dediğiniz ekonomi değil, biyolojidir. Et üretmek için yem gerekir. Hayvana bol bol yem yedireceksiniz ki, et üresin.

-Yedirelim o halde...

-Yem konusunda da sorun aynıdır. Bir kilo yeme iki üretici talipse yemin fiyatı derhal artar.

-Öyleyse bir kilo yeme bir müşteri düşmeli.

-İşin uzmanı olmaya başladınız bile...

-Uzman oldum, ama hâlâ bir şey anlamış değilim.

-O halde tam bir ekonomist sayılırsınız. Hatta biraz çaba harcasanız ekonomi doçenti veya profesörü bile olabilir, TV'lerde çıkıp herkese akıllar- fikirler verebilirsiniz

Bu konuya son vermeden önce ekonomi tarihimizde ilerde yer edecek bazı kavramlara da değinmekte yarar var.

Gizli İşsizlik: Vatandaşın aslında işi-gücü yoktur. Fakat kendisi durumunun farkında değildir. El arabasında bir şeyler satarak geçindiğini zanneder.. Ne vergi verir, ne karnı doyar. Bir işi olduğunu sanarak başka iş aramadığı için işsiz olarak görülmez, 'gizli işsiz' kabul edilir.

Gizli İşlilik: Vatandaşın bir işi vardır, ama yaptığı bir şey yoktur. Örneğin bir devlet dairesine torpille kapağı atmış memur veya işçidir. Ay sonunda maaşını aldığı için durumuna 'gizli işlilik' denebilir.

Kayıtdışı Ekonomi: Bize özgü bir kavramdır. Vatandaş ekonomik faaliyetlerde bulunmakta, ancak işine devleti karıştırmamaktadır. Bunlara 'kümes dışındaki kazlar' da denilir.

Kümesteki Kazlar: 'Kümesteki kazlar' deyişinin ekonomideki anlamı vergi vermeye başlamış özel sektör üyelerinin durumudur. Ne var ki, ülkemizde bu tür kazlara pek rastlanmadığı için, bizde bu söz kullanıldığı zaman anlaşılan 'kümeste yaşayan gerçek kazlar'dır.

10. BÖLÜM

**BU DÜNYAYA BOŞUNA GELMEDİK!
NELER YAPTIK, NELER ETTİK,
NELER BULDUK, NEREDE BULDUK,
ONLARI ANLATIR.**

Tüm olumsuz görüşlere karşın Türkler'in buluşları kısa bir bölümle geçiştirilecek gibi değildir.

Önce şunu söylemekle yarar var:

Türkler'in kafası durmadan işlemektedir. Öyle ki, bazen ortada kafa işletecek bir durum olmasa bile işlemeye devam etmektedir. Hatta boş durmamak için tersine işlediği durumlar bile söz konusudur.

Bu durumların neler olduğunu anlamak için herhangi bir günde gazetelere bir göz atmak yeterlidir.

Haberlere göre hazır kıymalara dalak, kuyruk yağı ve sakatat artıkları katarak satarız. Kazandığımız parayla da evimize, içinde bol miktarda ekmek, at-eşek eti, kıkırdak, iç yağı ve fazladan kanserojen özellikleri bulunun kimyasal maddelerle dolu sucuk ve salam alırız.

Bir şekerleme üreticisini ele alırsak.. Şekerin içinde bol miktarda elbise boyası katarak büyük karlar elde eder. Sonra bu paraları ne mi yapar? Elbette çoluk-çocuğu için harcar ve içine kaldırabildiği kadar margarin, iç yağı, soya fasulyesi, fındık tozu ve küspe katılmış çikolatalar satın alır.

Başka örnekler de bulunabilir. Karabibere fındık kabuğu, kırmızı bibere kiremit tozu doldururuz. Bu yolla kazandığımız parayla da nişasta ve karbonat katılmış yoğurt, boya ve kimyasal maddelerden oluşan meyva suları, asetik asitten yapılmış üzüm sirkesi alırız.

Eğer muhallebicilik yapıyorsak, tavuk göğsüne tavuk yerine işkembe katarız. Avantadan gelen parayı da şekerli sudan oluşmuş bala yatırırız.

Bu maddelerle yavaş yavaş sağlığımız bozulsa da fazla dert etmeyiz. Tıp fakültesini orta derece ile bitirmiş doktorlarımız ne güne duruyor. Ameliyat sırasında içerde mutlaka bir havlu veya toz bezi bırakma başarısını göstererek çuvalla para kazanırlar.

Kazandıkları parayı ise, inşaat fakültesini kopya ile bitirebilmiş mühendislerin yaptığı ilk depremde yıkılacak apartman katlarına yatırırlar.

Pratik çözümlerimiz dünyaya parmak ısırtacak boyutlardadır. Örneğin lağım sularımızı açıktan geçen derelere akıtarak, kanalizasyon, fosseptik gibi masraflı işlere kalkışmaktan kurtuluruz. Bu şekilde belki diğer vatandaşlar mikroplu su içerler, ama bunun bizim için fazla bir önemi yoktur. Nasıl olsa onların lağım sularını da biz içeriz ve ödeşiriz.

Yukarıda sıraladığım örneklerde sonuç sıfıra sıfır elde var sıfır gibi görünse de öyle değildir. Arada bedavadan kafalarımızı işletmiş oluruz.

Bir diğer pratik buluşumuz ise yer altı su ve kanalizasyon kapaklarının asfaltla hiza tutturamaması durumudur ki, neredeyse Anayasa kuralı kadar kesin bir kuraldır.

Hatta anayasa sık sık değişir ancak bu kural değişmez ve rögar kapakları ile asfalt arasındaki hiza sorunu bir türlü çözülmez.

Bunun da nedeni yine bizim pratikliğimiz olup, işin içine matematik kavramlarını karıştırarak zaman kaybetmeme prensibimizdir.

Bilindiği gibi asfalt yüksekliği ile rögar kapağı arasındaki yüksekliği eşitleyebilmek için kapağın kalınlığını ve bacanın yüksekliğini ölçmek, sonra bunları aynı seviyeye getirebilmek için birkaç toplama ve çıkarma işlemi yapmak gerekmektedir.

Açıkçası işin içine aritmetiği ve geometriyi karıştırmak bize biraz uzun iş gibi gelmektedir. Sinus, kosinus ve hipotenus gibi kavramlar yerine 'aslanus, koçus ve ana avradus' yöntemleri ile işi çözeriz.

'Aslanus' kavramı tam asfalt dökülürken işçilere,

-Şuraya iki kürek daha zift dök aslanım.. deme yöntemidir.

Rögar kapağının yeri hazırlanırken 'Kapağın kenarına biraz daha mıcır at koçum' şeklindeki uyarı ise koçus teoremidir.

Bütün bunların sonucunda 'ana-avradus' sistemi kendiliğinden devreye girer: Araba sürücüleri çukurlara düştükçe ana-avrat edebiyatına katkılarını sürdürürler.

Son olarak depremler nedeniyle fay hatları üzerinde bina inşa etmekte ısrar edişimizle de adımızı iyice duyurduk..

Peki sonuçta mutlu muyuz? Sanırım mutlu olanlarımız da var. Ben yıllarca gazetecilik yaptığım için vatandaşlarla çok sık temas halindeyim. Mektup, telefon, faks ve e-postalarla iletişim içindeyim.

Bir keresinde telefon çaldı ve bir vatandaş merhaba bile demeden lafa girdi:

- Bugünkü yazınızı okudum, bana kalırsa durumu biraz abartıyorsunuz. Yok memleket batıyormuş, hayat pahalılığı artıyormuş. Devlet ortadan kalkmış. Herkes mutsuzmuş. Alakası yok!

- Öyle mi?

- Öyle.. Mesela ben hayatımdan çok memnunum. 13. derecenin birinci kademesinden memur emeklisiyim. Elime geçen parayla gül gibi geçiniyorum.

- O kadar parayla?

- Evet, o kadarıyla.. Hatta arttırıyorum bile. Artan parayı harcayamadığım için bankaya yatırıyorum. Mecburen faiz alıyorum. Faizleri de harcayamadığım için onları da bankaya yatırıyorum ve ne yazık ki yine faiz veriyorlar. Parayı ne yapacağımı bilemiyorum, benim tek sorunum bu. Yazsanıza..

- Ev kirası yok mu?

- Yok... Çok şükür, kimse benden kira istemiyor. Elektrik, su parası da yok. Yol parası deseniz o da yok. Çünkü işe gitmiyorum.

- O halde sizde stres de yoktur.

- Ne stresi efendim, ben bu lafları gazetelerde okuyorum. Nasıl bir şeydir bilmiyorum. Geçenlerde beraber yemek yediğimiz arkadaşa sordum, stres nedir diye... O da sözlüğe bakmam lazım, dedi.

- Ne diyeyim, çok şaşırdım. Bu ortamda olacak şey değil..

- Benim de asıl şaşırdığım sizin yazdıklarınız. Geçenlerde de mafya babalarından söz ediyordunuz, Nereden çıkarıyorsunuz bunları?..

- Canım mafya babalarını ben mi çıkarıyorum? Bir sürüsü var ortalıkta..

- Bizim burada bir tane bile yok... Bunları da yazın.

- Tamam yazalım; geçim sıkıntısı, iş stresi, mafya korkusu çekmeden yaşayan vatandaşlarla okurlarımız çok ilgilenecek-lerdir. Neresi orası derlerse ne diyeyim?

- Adresimi vereyim. Benim adım Recep Koç. Adresim: C. Blok, birinci kısım, Bayrampaşa Cezaevi..

11. BÖLÜM

TÜRK POLİSİ YAKALAR AMA NASIL YAKALAR, İŞİN ORASINI ANLATIR.

'Olur böyle vakalar, Türk polisi yakalar' sözü uzun süre gündemdeki yerini koruduysa da, sonunda suçlular akıllandılar. Şimdi nerede o eski katiller?

Zavallılar birini öldürdüler mi, silahları ellerinde, otomobil farına yakalanmış tavşanlar gibi oldukları yerde kalakalırlardı. Polis gelsin de kendilerini teslim alsın diye beklerlerdi. Kimse gelmezse, akıllarına karakola bizzat gidip kendilerini teslim etmekten başka bir hile gelmezdi.

O 'masum' katilleri çok arayacağız.

En kurnazları öldürecekleri adamı bir gün önce mahalle kahvesinde ölümle tehdit ettikten sonra, ertesi gün öldürmüş ve cinayet silahı kolay bulunamasın diye yastığın altına saklamış olurdu..

Bu vakalarda Türk polisi kolayca yakalıyordu..

Hatta bazen polisimiz daha büyük başarılara imza atabiliyor ve suçlu olmayan kişileri de yakalayabiliyordu.

Hatta bazen suçlu suçunu itiraf etse bile suçsuz olabiliyordu.

O yüzden ülkemizde bir zanlı suçunu itiraf ettiği zaman ortada en fazla iki olasılık oluyordu:

- Suçlu
- Suçsuz
- Hatta 'olmaz 'gibi görünse de üçüncü bir olasılık daha vardı. Örneğin bir cinayet iddiası üzerine polis suçluyu yakalar ve suçunu itiraf ettirirdi. Daha sonra gerçek suçlu yakalanır, o da suçunu itiraf ederdi.

En sonunda cinayete kurban gittiği sanılan kişi bulunur ve inanılmaz gibi görünse bile, o da konuşturulurdu.

Bu örneği mizah olsun diye yazmıyorum. Bu türden bir-iki vaka gerçekten yaşandı. Bunların ilki ve en ünlüsü olan olay 70'li yıllarda Unkapanı köprüsünde gerçekleşmişti.

Köprü üstünde işlendiği ileri sürülen cinayette öldürülen kişinin (maktül) Haliç'e atıldığı ileri sürülmüş, bunun üzerine bir zanlıya suçu itiraf ettirilmişti. Daha sonra ise gerçek suçlunun yakalandığı açıklanmıştı. Aradan bir süre geçtikten sonra ise iki katilin ayrı ayrı öldürüp çuval içinde Haliç'e attıklarını ileri sürdükleri maktül canlı olarak ele geçirilmişti.

Ortadaki suçlu ve maktül bolluğuna karşın polis arşivlerinde hâlâ cinayet dosyalarının büyük çoğunluğunda bir tek failin adı yazılıdır:

Bu failin adı da bir rastlantı sonucu 'Faili'dir. Böyle ad olur mu? diyorsanız soyadını söyleyince anlayacaksınız: 'Meçhul..'

Hâlâ eski günleri özlemle andığımı anlıyorsunuzdur umarım.

Türk polisinin asıl başarısı çağdaş yöntemler kullanmaya gerek duymadan çağdaş sonuçlara ulaşmasıydı.

Örneğin polis bir zanlıyı yakaladığı zaman çağdaş ülkelerin polisleri gibi yasal haklarını saymaya başlamazdı. Ya ne yapardı? Sülalesini saymaya başlardı.

Ve Türk polisi bir suçluyu eline geçirdiği zaman

-Çay-kahve içer misiniz, yemek yer misiniz? diye sormazdı.

Ya ne sorardı?

Her polisin elinde ve belinde bulunan copu göstererek

-Bunu yer misiniz? diye sorardı.

Hatta bütün bunlara dahi gerek kalmaz, karakola çekilen zanlılar daha kendilerine hiçbir şey sorulmadan ötmeye başlarlardı:

-Ben yaptım abi..

-Ne yaptın ulan?

-Sen ne istersen..

-Falancayı sen mi öldürdün?

-Ben öldürdüm. Boğazını sıktım.

-Ne boğazı ulan Hamşo. Adam ensesine sıkılan kurşunla öldürülmüş.

-Heyecandan dilim sürçtü amirim. Kurşun sıktım diyecektim boğazını sıktım demişim.

-Peki nerede yaptın bu işi? Göster bize.

-Emriniz olur, göstereyim, ama siz de bana yardımcı olun. Biraz ipucu verin.

Batı tarzı sorgulama ile bizim sorgulama yöntemlerimiz arasında bazı benzerlikler de vardı:

Sıradan bir batı ülkesinde zanlı suç işlediği ana kadar suçsuz sayılırdı.

Bizde de zanlının suçu işlemediği anlaşıldıktan sonra suçsuz sayılırdı.

Yöntemdeki bu benzerliğe karşın yine de sonuçta bazı farklar ortaya çıkıyordu:

Batıda bir zanlı suçu işlediğini itiraf ettiği zaman ortada bir tek olasılık vardı: Adam suçluydu.

Bizde ise ne kadar çok olasılık olduğu daha önce belirtilmişti :

Suçlu, suçsuz, kurban, maktül vs..

Sonra CMUK icat olundu, katillik bozuldu. Soruşturmanın ilk safhasında suçlunun yanında avukatını da getirebilmesi sonucu işlenen onca suça karşın, suçlu azlığı ortaya çıkmaya başladı. Hatta bu arada bazı polisler arasında suçlular görülmeye başladı.

Kim bilir, belki de polislerimiz suçluların azalması üzerine işlerini kaybetmemek için aralarından bir-iki suçlu yaratmak kurnazlığına sapmışlardı.

Ne mutlu ki, artık karakollarımız şeffaf: işkence iddiaları pek ileri sürülmüyor. Hatta polislerimiz işi biraz ileriye bile götürdüler denebilir.

Şimdi insan bir karakola girdiğini dahi anlayamıyor. Çaykahve ve sigara ikramları, güler yüz, hoşsohbet, 'Yine bekleriz' türünden veda sözcükleri gırla gidiyor. O yüzden insanlar

-Yahu dışarıda hayat çekilmez oldu. Bir aksilik olsa da karakola düşsek... diye düşünmeye başladılar.

Ne var ki, her şey bu kadar toz pembe değil. Eski dönemden kalma bazı işkence kalıntıları hâlâ sürüyor. Buna zabıt işkencesi denebilir. Çünkü herhangi bir anlaşmazlık sonucu karakola düşüldüğünde, durumun hâlâ bir zabıtla saptanması gerekiyor. Ve bu iş karakollarda artık bilgisayarla yapılıyor.

Sorun bilgisayarın son derece çağdaş bir cihaz olmasında yatmıyor. Zabıt tutacak görevlinin bu cihazı ilk defa görüyor olmasında yatıyor. Bu duygu yanıltıcı da olabilir; görevli büyük olasılıkla bilgisayarı daha önce görmüştür, ama henüz harflerin yerini ezberleyememiş olabilir.

Zabıt tutulacak sayfanın nasıl ekrana getirileceği ile ilgili işlemleri burada sayarak zamanınızı almayayım. Yoksa bu işin sonu gelmez. Biz görevli memurun bir şekilde zabıt tutulacak programı bulup ekrana getirdiğini varsayalım.

Ekranın en üst sağ köşesine günün tarihini yazmak görece kolaydır. Zira klavyede sayılardan oluşan bölüm en üst sırada ve sıralıdır. Fakat sıra ekranın tam ortasına 'ZABITTIR ' sözünün yazılmasına geldiğinde iş biraz değişiktir.

Türkçe klavyede 'Z' harfi en alt sıranın ortasında yer aldığı için, önce en üst sırada aranacak, orada bulunamayınca bir alt sıraya geçilecektir. Üçüncü sıra araştırılırken ikinci harf olan 'A' bulunabilir. Ancak henüz 'Z 'harfi bulunamadığı için A harfi kullanılamaz. Artık sıra son sıranın iki yanının araştırılmasına gelmiştir. Yine bulunamayınca, tam ortadaki 'Z' harfinin bulunamaması için mantıklı bir neden kalmaz.

Sonunda 'Z' harfine basmasıyla zabıt memuru rahat bir nefes alır. İşe başlarken yaktığı sigara çoktan bitmiş, yenisinin yakılma zamanı ise gelip çatmıştır. Yeni bir sigara yakıldıktan sonra A harfini bulabilmek için ikinci bir serüvene atılmaya hazırdır artık.

-Nasıl olsa 'A' harfi daha önce bulunmuştu... diye düşünen ve zaman kazanmayı umanlara şunu belirtmek isterim: Evet, bulunmuştu, ama aradan o kadar uzun zaman geçti ki, çoktan unutuldu.

Bu işin ayrıntısına girsem, ayrı bir kitap daha yazmam gerekir. 'ZA..' yazıldıktan sonra bütün harflerin tek tek bulunması ilk bakışta mucize gibi görünse de mucizeyle bir ilişkisi yoktur. Çünkü daktilo üreticileri makinelerin üzerine tüm harfleri eksiksiz yerleştirmişlerdir.

Bu kitabın boyutları içinde, zabıt metninin içeriği üzerinde durmama olanak yok. Özetle diyelim ki, bu bir trafik kazası zaptıdır.

Ortaya çıkan metinden, durduk yerde size arkadan çarpan şahsın hiç suçu olmadığı, tersine sizin arabanızın arkasıyla, o vatandaşın aracının önüne çarptığınız gibi bir sonuç bile çıkabilir, ama siz yeni bir zabıt tutturmamak için suçunuzu seve seve kabul edersiniz.

SUÇLULARI ANLATIR.

Hep polislerin üzerinde durduk, suçluların hiç suçu yok mu konusuna bir türlü gelemedik.

Elbette vardır... Ülkede birçok suçlu vardır, ama 'ülkede' lafı lafın gelişidir. Çoğu ülke dışındadır. Gazetelerde zaman zaman yurt dışına kaçmış suçlularla konuşmalar yapılır. Ben bu konuşmaların çoğunu okuduktan ve TV kanallarında yayınlananları dinledikten sonra ortak noktalarını bir araya getirdim. Ortaya şöyle bir şey çıktı:

-Sizin için yasadışı diyorlar.

-Hiç alakası yok! Benim bütün yaşantım yasalar içindedir. Türk Ceza Yasasının 247. maddesi ile 298. maddeleri dışına çıktığım hiç görülmemiştir.

-O halde neden İsviçre'de yaşıyorsunuz?

-Sağlık nedenleriyle.. Doktorlar beni sıkı bir muayeneden geçirdiler. Bende kalp, mide, karaciğer, dalak, pankreas ve safra kesesi varmış. Türkiye'de yaşamak bunlara dokunuyormuş.

-Ama bu organlar herkeste var.

-Öyle mi? Vallahi bilmiyordum. Biz fazla okumamışız yeğenim. Cahillik işte.. Nereden bileceğiz. Gözümüzü açtık babamızın eşeğinin heybesinde Suriye'den mal kaçırıyorduk. Ben doktorun yalancısıyım.

-Peki dönmeyecek misiniz?

- Dönmez olur muyum? İlk fırsatta döneceğim. Memleket gözümde tutuyor. Ah memleketimin havası, suyu, gümrük müdürlükleri, teşvik kredileri ve vergi iadeleri....

-Son sorumuz şu olacak: Türk adaletine güveniyor musunuz?

-Kesinlikle güveniyorum. O yüzden eline geçmemeye çalışıyorum.

Elbette bütün suçlular yurtdışında yaşıyorlar denemez. Bir kısmı oralarda, ama burada kalanlar da bize fazlasıyla yetiyor.

Hemen hemen hiçbir konuda eksiklikleri duyulmuyor.

İstersiniz günlük yaşamdan birkaç örnek vereyim.

Diyelim ki elinizde henüz ödenmemiş bir çek veya senet var. Eskiden olsa haliniz haraptı. Bu kâğıt parçalarını paraya çevirmek için bankalara gider, mahkemelerde uğraşır, icra dairelerinde perişan olurdunuz, borçlunuzun peşinden koşardınız.

Şimdi işin kolayı var.

Elinizde senet veya çekle sokağa çıkıp bir tur atmanız yeterli. Mutlaka biri yanınıza yaklaşacak ve 'Çek-senet mafyası lazım mı abi?' diye soracaktır. İşinizi çek-senet mafyasına emanet ettiğinizde hiçbir sorununuz kalmayacaktır. Alacaklı olduğunuz kişi borcunu kabul etmeyip, kaçıyorsa bile artık siz dert etmeyin. Nasıl olsa kendisini ertesi gün Belgrad ormanlarında bulabilirsiniz. Tabii bir çuvalın içinde...

Allah göstermesin, hastalandınız, diyelim...

Sağlık mafyası ne güne duruyor. Örneğin kan mı lazım? Kan bankaları ile birlikte kan babaları da emrinizde. İster kan vermek, ister kan almak gerektiğinde kan babaları işinizi zevkle göreceklerdir.

Allah gecinden versin, bir yakınınız öldü diyelim. Mezarlıklarda yer nerede?.. Bir yer bulabilseniz bile defin ruhsatı, mezarlık tapusu, cenaze arabası, hatim duası gibi zorunluluklar yüzünden sizin de bir ayağınız çukura girebilir.

Oysa cenaze mafyamız sevabına her işinizi yoluna koyacaktır. Aynı mafya henüz yaşamakta olan, fakat sizin bunu pek arzulamadığınız kişiler için de emrinizdedir.

Kiracınız evden çıkmıyor mu? Eskiden yanmıştınız. Şimdi ev sahibi-kiracı mafyası var. Siz sadece kiracınızın adını ve adresini veriyorsunuz. Akşam eşyası boşalmış evinize taşınıyorsunuz.

Kiracınız mı?

Sokakta kaldı diye üzülmenize gerek yok! Mafya babalarımız onun da başını sokacak bir dam altı bulacaklardır mutlaka.. Eğer evden çıkmakta direnmişse Karacaahmet veya Zincirlikuyu civarında.

Bunlar benim ilk anda aklıma geliveren baba türleri.. İşsiz babalarımız yeni iş sahaları yaratmak için var güçleriyle çabalıyorlar. Yakında telefon rehberinin meslekler bölümünde 'Babalar' başlığı altında yer alacaklarından kimsenin kuşkusu yok.

CEZAEVLERİNİ ANLATIR.

Bu kadar çok polis, mafya, mahkeme, karakol lafı ettikten sonra işin infaz bölümüne de kısaca değinelim.

Herkesin bildiğini ne saklamalı; eskiden cezaevlerimiz bir âlemdi. Hatta 'Geceyarısı Ekspresi' adlı bir film bizi dünyaya rezil etmişti. Belki biraz da bu filmin etkisiyle cezaevlerinde durum epey düzeltildi.

Son olarak hizmete sokulan F tipi cezaevleri ile neredeyse bütün dünyaya örnek olacak bir infaz sistemi yaratıldı.

Tek kişilik koğuş 10 metrekare, 3 kişilik koğuş 50 metrekare. Oysa İngiltere'de bir kişiye ayrılan alan 3 m2'yi geçmiyor. ABD'de ise 5 metrekare.

Üç kişilik koğuşlar ise bir âlem..

Dubleks dairenin alt katında banyo, tuvalet ve oturma grubu var. Üst kat yatak odası.

Ayrıca 50 m^2 havalandırması var.

'Bundan iyisi dışarıda yaşamak...' denilebilir, ama dışarıda bu koşulları bulabilen vatandaş sayımız fazla değil.

Ayrıca son derece emniyetli.

Eski koğuş sisteminde olduğu gibi can güvenliği sorunu yok.

Ömürboyu hapse mahkûm biri, eğer affa uğramamışsa, eceliyle ölme şansını yakalayabiliyor ki, bu olanak dışarda yaşayanlar için bile yok denecek kadar az.

Pek bilinmez; bizim ceza evlerimizde başka koğuş tipleri de var. Bu gizli bilgiyi ilk kez benden duyuyor olabilirsiniz.

A tipi cezaevi:

Yurt dışından cezalandırılmamak üzere gönderilen A grubu mahkûmlar için.

Bunları yargılayamıyorsunuz, yedirip içiyorsunuz, sağlık sorunlarını çözmek için hastane hastane dolaştırıyorsunuz.

Eğer mahkûm yine de 'Ben buradan hoşnut değilim ' derse ikna etmeye çalışıyorsunuz. Genellikle

-İsterseniz sizi geldiğiniz cezaevine gönderelim.. deyince mahkûm ikna oluyor ve

-En iyisi ben burada kalayım... diyebiliyor.

B tipi cezaevi:

Yurt içinde yaşayan önemli mahkûmlar için. Kapı altında eşleriyle ilişkiye girip bebek sahibi olma imkânı sağlanıyor. Sanırım 'B' harfi 'bebek'ten geliyor.

C tipi:

Bir alt grup. Sadece çocuk yapma olanağından mahrumlar. Eğer eşlerini açık görüşte sıkıştırırlarsa gardiyanlar 'cee' diye ortaya çıkıyorlar. O yüzden 'ellerine mahkûm'lar.

Ç tipi:

Kader mahkûmları için. Sadece af bekliyorlar. Gerisi için 'Çek kuyruğundan' diyorlar.

D tipi:

D harfi 'dışardan' geliyor. Yarı açık veya tam açık cezaevleri. Mahkûm isterse dışarı gidebiliyor. İsterse dönebiliyor. Döndüğünde kapıcı uyanmasın diye cezaevi anahtarı cebine konulabiliyor. Bu sistemden dışarıda fazla telefat verildiği için sonradan vazgeçildi.

E tipi:

E'n garibanlar için. Karavana yiyorlar ve hiçbir ayrıcalıkları bulunmuyor.

Dışarıda yaşamaktan beter bir durum. O yüzden birçok kişi suç işlemek yerine dışarıda yaşamayı sürdürüyor.

Sonrası malum... F tipi geliyor.

Elbette ülke yerinde saymıyor. Türkiye, ünlü bir Türk düşünürünün söylediği gibi 'İlerleyen bir gemide geriye doğru koşsa da ilerliyor.' Yine konumuz olan cezaevi sistemlerine dönersek...

Gelişmiş batı ülkelerinde cezaevi koşulları giderek kolaylaşıyor.

Örneğin Avrupa Birliği ülkeleri 21. yüzyılda sistemlerine uygun çağdaş cezaevleri yaratmak için yeni sistemler üzerinde duruyorlar.

Şöyle şeyler:

Yarı özgürlük: mahkûm gün boyunca dışarıda çalışacak, gece uyumak için cezaevine dönecek.

Koşullu özgürlük: İçerde 5 yılını dolduran mahkûm elektronik kelepçe ile evine gönderilecek.

Bağımlı özgürlük: Genç mahkûmlar, cezalarını mahkemenin belirleyeceği bir işte çalışarak tamamlayacaklar.

Deneme tecili: Mahkûm salıverilecek; bir iş bulup sakin bir yaşam sürerse geriye çağrılmayacak.

Baştan da belirttik... Avrupa Birliğinde bütün bu yöntemler daha düşünme aşamasında. Oysa biz birçok konuda uygulama aşamasına geçtik bile..

Tamamen özgürlük: Suçluyu veya mahkûmu yakalamıyorsun. Ortalıkta dolaşıyor. Görmezden geliyorsun, cezasını dışarıda çekiyor.

Yarı Özgürlük: Yakalıyorsun, ceza vermiyorsun. Davası sürürken o bir işte çalışıyor. İsterse ülkeyi yönetiyor. Zamanı gelince eceliyle ölüyor.

Koşulsuz Özgürlük: Ceza veriyorsun, hatta içeri bile atıyorsun, ama odasını otel odasına çeviriyor. Televizyon, buzdolabı, cep telefonu, silah, içki, kumar, uyuşturucu gırla gidiyor.

Randevulu mahkûmiyet: Mahkûm cezasını istediği zaman çekiyor. Randevu veriyorsun, gelirse geliyor. Gelmezse cezasını Allah veriyor.

Seçmeli Sistem: Mahkûm istediği cezaevini seçiyor. Müdürü ve gardiyanları gözü tutmazsa 'Ben burada yatmam ' diyebiliyor. Beğenirse yatıp cezasını çekebiliyor.

Şaka falan değil, bütün bunlar şimdiden bizde var.

12. BÖLÜM

KADIN-ERKEK VE İKİ CİNS DIŞINDA KALANLAR ARASINDAKİ İLİŞKİLERİ ANLATIR.

Önceki bir-iki bölümde daha değinilmiş olduğu gibi kadın-erkek ilişkileri açısından durumumuz ilginçtir.

Örneğin erkeklerimiz esmer, kara kaşlı, kara gözlü, biraz da bıyıklı olarak doğarlar, buna karşılık kadınlarımız sarışın olurlar.

Erkek bir toplum olduğumuz için yaşam felsefemiz üç sözcükte özetlenmiştir.

At, avrat, silah..

Atlar uzun zaman önce Murat'lara dönüşmüştür. Şimdi en az 70 beygir gücündeler. Silahlarla ilişkimiz hâlâ iyi-kötü (genellikle kötü) sürüyor.

Avratlara gelince...

Adem'le Havva'dan beri değişen bir şey yok.

Her erkek gibi Türk erkeklerinin zihnini de arada sırada (günde en az bir kere) ve bir süre için (aşağı yukarı 24 saat) kadın konuları meşgul eder.

Kadınların bu süre içinde bütün düşündükleri ise erkeklerin sürekli onlardan 'bir tek şey istediği'dir.

Kadınlar üzerine söylenmiş lafların içinde en doğrusu kadın güzelliği ile ilgilidir ve 'Bütün kadınlar güzeldir' şeklindedir.

İstisnalar kuralı bozmaz ve her şey gibi bu sözün de istisnası vardır: 'Bazı kadınlar daha güzeldir'.

Güzellik konusu bütün dünya uluslarının ilgisini çeken bir konudur. Örneğin Amerikalı bir grup psikoloğun bilimsel bir dergide yaptıkları araştırmaya göre 'barların kapanma saatlerinde kadınlar daha güzel görünmektedir.'

Amerikalıların bilimsel yoldan saptadıkları bu gerçek, Çarlık Rusya'sı döneminde Rus alkolikleri tarafından bilimsel olmayan yollarla bulunmuştu:

-Çirkin kadın yoktur, az votka vardır..

Lafı oradan bize getireceğim.

Türk sarhoşlarının bu buluşu Rus hemcinslerine kaptırmalarının ardında yatan neden ise, bizim erkeklerimizin ayık kafayla bile her kadını güzel bulmalarıdır. Bizim sloganımız şu olabilir:

-Çirkin kadın yoktur, az erkek vardır...

Makyaj sanayinin uzmanları da lafı şu hale getirmişlerdir:

-Çirkin kadın yoktur, makyajsız kadın vardır.

Kadın-erkek ilişkileri böyle... Bir de aynı cinsler arasındaki ilişkiler var. Yani eşcinsellik.

Eşcinsellik aslında sanıldığı kadar zararlı bir cinsel yöneliş değil. Bir görüşe göre karşıcinsellik (heteroseksüellik) daha sakıncalı.

Çünkü iki karşıcinsel asla iki kişi olarak kalmıyor. Hemen 3 kişi oluyorlar ve aradan geçen zamana bağlı olarak çoğalıyorlar.

Oysa iki eşcinsel, yaşamlarının sonuna kadar 2 kişi kalıyorlar.

Türkiye'nin Avrupa Birliği'ne girişindeki en büyük engellerden biri de bizim karşıcinselliğimiz.

Örneğin AB'ye iki karşıcinsel Türk girse (ikisi de karşı cinsten olmak koşuluyla) 10 yıl sonra al başına 8-10 Türk karşıcinseli daha...

Onlar da karşı cinsle karşılaştıkları zaman çoğalma eğiliminde olduklarından ortaya ülke ekonomilerini çökerten bir durum çıkıyor.

Heteroseksüellikten hangi ülke çökmüş diye sorarsanız, size kendi ülkemizi gösterebilirim. Hepimize dün gibi gelen Cumhuriyet'in 10. yılında (1933'te) '15 milyon olmakla' övünürken, 70 yılda 72 milyona ulaştık. Birçok sorunumuzun kaynağında işte bu yeteneğimiz yatıyor.

Ne yazık ki, ülkemizde sadece karşı cinsle veya aynı cinsle ilişkiler kurulmuyor.

Bir de hayvanlar veya cansız maddelerle kurulan ilişkiler var.

İsteyenlere tarihini ve failinin adını da verebilirim; bir tarihte Antalya'da bir vatandaşımız hırsızlık için girdiği mağazada bir cansız mankene tecavüz etmeye kalkışmıştı.

Hatta sadece kalkışmadı; yapılan inceleme sonunda tecavüzü gerçekleştirdiği anlaşıldı.

Mağazanın sahibi bu konuyu 'şakayla karışık' namus meselesi haline getirince, hırsızlık dışında, tecavüzün suç olup olmadığı da basınımızda ciddi ciddi araştırıldı (!).

Sonunda suç olmadığı anlaşıldı. Çünkü Türk Ceza Yasası hazırlanırken, cansız maddelere de tecavüz edilebileceği akla gelmemişti. Sonuçta yine 'şaka ile karışık' cansız mankene tecavüz eden adamın tahtadan yapılmış mankeni taciz etmeye çalışırken kendi cezasını kendisinin verdiği sonucuna varıldı.

Mağaza sahibinin namusuna dokunulmadığı da kısa sürede ortaya çıktı.

Çünkü mağazada sergilenen cansız mankenler canlı değillerdi ve mağaza sahibi ile akrabalıkları yoktu..

Bu olayın faydalı bir yanı bile olabilirdi. Eğer cansız mankenlere tecavüz gelenek haline gelirse, birçok canlı bu işten paçayı kurtarabilirdi.

Peki bu işi yapan kişinin cinsel tercihi için ne söylenebilir?

Karşıcinsel deseniz değil, eşcinsel deseniz yine değil. En iyisi 'cansızcinsel' demek galiba..

Bir de temel içgüdümüzün gücünden kurtulamayan hayvanlar var ki, burada durum biraz daha değişik.

Önce şu saptamayı yapmakta yarar var: Anadolu'da keçi, köpek, eşek, camız (manda) ve ineklerin diğer yararları yanında bu işe de yaradığı bir gerçek. Atlar ve develer söz konusu 'bölgelerinin' yüksekliği nedeniyle- insan boyunu aştıkları için- elimizden kurtuluyorlar. Koyunlar da Kurban Bayramı hatırına 'bacı' gözüyle bakılagelen kutsal varlıklar arasında sayılıyorlar.

O yüzden orasında, burasında, bazen tam alnının ortasında eşek veya camız tepiği ile dolaşanların çokluğu şaşırtıcı değildir.

O kadar ötelere uzanmaya da gerek yok. Biz bu işin türküsünü bile yapmışız. Zaman zaman radyolarımızda çalınır:

'Hayvanın irisine/ Ben yandım dirisine/ Sürüsünden fayda yok / Ben yandım ikisine...'

Hangi açıdan bakarsanız bakın yukardaki sözler 'hayvan aşkımızı' anlatır.

Anlaşılan herkesin bu işi kendi hayvanı ile yaptığı sürece fazla bir sorun çıkmıyor. Ancak başka birinin hayvanına ilgi gösterildiğinde iş bazen 'namus davası' boyutlarına ulaşıyor.

Yine tarih, ad ve yer göstererek sayabilirim; birçok Anadolu kentinde 'hayvan aşkımızın' ulaştığı boyut namus cinayet ve davalarına kadar varmaktadır.

Peki bu durumu nasıl açıklayacağız? Neden bir hayvana tecavüzü namus sorunu yapıyoruz? Ben bilimsel bir görüş ileri sürme savında değilim, fikir jimnastiği yapmaya çalışıyorum sadece...

Şundan olabilir: biz ezelden beri namusu bacak arasında aramışız. Örneğin zeytinyağına makine yağını boca eden bakkal 'namusun elden gittiğine' ancak Fadime'nin şalvarı yırtılınca inanır.

Avrupa ülkelerine zeytin yerine keçi pisliği ihraç eden iş adamı da namussuzluğu metresinin sevgilisi ile ilişkisinde bulur. Kırmızı biber yerine kiremit tozu üreten baharatçı ise namusu komşusunun karısının bikini mayo ile denize girmesi sanır.

Bizim bacaklarımız bacak ise, hayvanların bacakları soba borusu mu? Onlar da bacak sayılır. Öyleyse keçi ve eşeklerin bacak aralarını da namus davası yapmamızda şaşılacak bir şey yoktur.

TÜRKLER NEDEN DURMADAN ÇOĞALIR? TÜRK USULÜ NÜFUS PLANLAMASI NASIL YAPILIR? SIKI PLANLAMAYA KARŞIN NÜFUS NEDEN ARTAR, ONU ANLATIR.

Kadın-erkek ilişkilerinin sonucunda ortaya çıkan bir özelliğimiz de hızlı çoğalmamızdır. Bunun da nedeni nüfus planlaması yöntemlerimizdir.

Bizde nüfus planlaması denilince erkeklerimizin gözlerinin önünde karnı henüz şişmemiş genç bir kadın hayali belirmekte ve akıllarına bu karnı en kısa zamanda şişirecek işlemler gelmektedir. Aslında ortada nüfus planlaması sözü geçmese de, erkeklerimizin aklından yine aynı şeyler geçmektedir.

Evlenme çağına gelen kadın ve erkekler işin başında uzun uzun düşünmekte ve sonunda ekonomik açıdan evlenmelerine olanak olmadığını anladıkları anda 'evlilikte keramet vardır' şeklindeki sözün bilimselliğine inanarak nikah memurunun önüne dikilmektedirler. Ancak nüfus planlamasını unutmuş değillerdir. Karı-koca eve döndükten sonra oturdukları evin odalarına -eğer tıka basa doldurulursa- kaç çocuk sığabileceğinin hesaplarını ince ince planlamaktadırlar.

Çocukların cinsiyeti konusunda bile bir plan işlemektedir. İlk çocuklar erkek olursa, 'ille bir de kız lazım' planıyla hareket edilmektedir. Eğer sırayla bir erkek, bir kız oluyorsa, 'Bakalım arka arkaya iki kız veya iki erkek gelecek mi?' diye aralarında iddiaya tutuşmaktadırlar.

13. BÖLÜM

TÜRK SANATI VAR MIDIR? VARSA NEDİR? PERSPEKTİF'İN OSMANLI SARAYINA GELİŞİNİ ANLATIR.

Osmanlı döneminde sanat yapmak 'resmen' yasak, özel olarak da 'ayıp' ve 'günah'tı.

Bunun başlıca nedeni ise dinimizi yorumlayanların savına göre, resim ya da heykel yaparken bir insan veya canlı figürü yaratmanın, Tanrı'nın yaratıcı gücüne rekabet sayılmasıydı..

İslamda insan gözüyle insan (diğer insanlardan ayırdedici özellikleriyle) resmedilemezdi; ancak 'Tanrı'nın gördüğü şekilde' yüz ve bedenleri birbirinden farksız minyatürler yapılabilirdi.

Minyatürün en büyük özelliği ise resim sanatının olmazsa olmazı sayılan perspektiften yoksun oluşuydu.

'Perspektif' in adı ilk kez Filippo Brunelli adlı Venedikli bir ressam tarafından konulmuş, haber İstanbul'a olaydan 50-60 yıl sonra ulaşabilmiştir. Uygulanması 500-600 yılı bulmuştur. Sözcüğün Türkçe karşılığı ise hâlâ bulunamamıştır. Aşağıdaki tartışma olayın Osmanlı Sarayında ilk kez duyuluşunu anlatır: (Zamanın önemli alim-i azam'larından Ökkeş Hoca'nın naklettiğine göre)

SADRAZAM (Başvezir, Başbakan) TOMBALAK PAŞA: Bu ne gürültüdür, kuru gürültü müdür, sulu gürültü müdür? Yoksa burası Dingo'nun ahırı mıdır?

BAŞKATİP: Minyatürcü Karton Paşa geldi paşam. Pek mühim haberler getirmiş. Arz-ı hürmet etmek ister.

SADRAZAM TOMBALAK PAŞA: Çağurun gelsün.

BAŞKATİP: Başüstüne, haşmetlü devletlüm.

MİNYATÜRCÜ KARTON PAŞA: Paa.. Paa... Paşam, çok mühim haberlerim var. Devlet-i Aliye'nin geleceği buna bağlı. Tez sefere çıkmamız gerekir Paşam.

SADRAZAM TOMBALAK PAŞA: Bre paşa, tez elden kendüne gelesin. Nedir bu telaşın? Güneş batıdan mı doğmuştur, yoksa Mehdi Edirnekapı'da mı görünmüştür?

MİNYATÜRCÜ KARTON PAŞA: Daha beteri paşam, daha büyük felaket. Küffar bir buluş icat eylemiştir. Tez Rumelinin ırağına yani Veneduk'a sefer düzenlemek lazımdır.

SADRAZAM TOMBALAK PAŞA: Bre Paşa, Veneduk'a seyr-ü sefer kolay mıdır? Hazine tamtakır değil midir? Şehr-i Kostantiniyye'ye islamın girişinin işareti olarak bir cami yaptırmak lazumken, temelini bile atacak para bulunamamıştır. Ses ver, bu sefer kaça patlar, niyedür, niyetin nedür?

MİNYATÜRCÜ KARTON PAŞA: Paşa... Paşa ne dersünüz? Küffar 'perspektuf' deyu bir şey icadetmüştür. Topumuzun topunu attıracaktur. Minyatürlerimiz hep yok olacaktır.

SADRAZAM TOMBALAK PAŞA: Nedir bu icat Paşa? Ne işe yarar? Bize nedür? Yenilür, içilir müdür?

MİNYATÜRCÜ KARTON PAŞA: Nedir, ne işe yarar bilmiyoruz Paşam, fakat çok tehlikelidür. Venedik sefiri sarhoşken ağzından kaçırmış. Filippo deyu bir deyyus bulmuş bu gavur icadını.

SADRAZAM TOMBALAK PAŞA: Paşa... Paşa.. sen ne deyüp durursundur? Padişahımız Efendimizin ihsan buyurduğu çil çil altın dolu keseler gözünüze dizinüze dursundur. Hem kefere sarhoştur, diyorsun, hem neden ağzundan laf almıyorsundur?

MİNYATÜRCÜ KARTON PAŞA: Denemez olur muyuz Paşam? Her yolu denedik. Hatta Allah günahımızı affetsün, bir yerlerden birkaç maşraba şarap bulduk, adamı biraz daha sarhoş etmeyi büle denedik, ama abuk sabuk laflardan başka laflar etmiyor kefere...

SADRAZAM TOMBALAK PAŞA: Ne diyor mesela? Hele bir anlat bakalım, Padişahımız efendümüzün etrafında ülkenin bütün alimleri toplanmuştur. Belki onlar bir anlam çıkarabülürler.

MİNYATÜRCÜ KARTON PAŞA: Arzettüğüm gibi abuk-sabuk laflardır, ama isterseniz Paşama nakledeyim, belki siz bir anlam çıkarırsınız. Kefere diyesiymiş ki, perspektuf kuralına göre fare deveden büyük, aslan kedüden küçük olabülürmüş. Hayvanatın bulunduğu yere göre ölçüleri değüşürmüş. Dilim tutulsa da bunu söylemez olaydım; haşa huzurdan güya Haşmetlu, devletlu Padişahımız Hazretleri Efendimizin önünde duran dalkavuk cüce padişahımız efendimizden büyük görünürmüş. Tövbe... tövbe...

SADRAZAM TOMBALAK PAŞA: Bre Karton Paşa. Sen ne demektesün? Ağzundan çıkanı kulağınla duymakta musun? Tez yıkıl karşımdan. Ben bu mühim mevzuyu Haşmetlü, Devletlü Sultan-ı Şahane ile görüşmem lazımdır. Sen çıkabilirsin...

MİNYATÜRCÜ KARTON PAŞA: Sağolun Paşam, Allah sizi başımızdan eksik etmesin.

SADRAZAM TOMBALAK PAŞA: Ne kara gündür bugün. Demek küffar perspektufu da icad eyledi. Devlet-i Aliye'nin başına bu kara bulutları neden sardın Ya Rabbi?.. Şimdi ben Haşmetlü Sultanımıza ne diyeyim? Haremden nasıl çıkarayım? Cariyelerin koynundan yeni çıkmış adama perspektufu nasıl anlatayım? Bir cüce, hiç Padişah Efendi Hazretlerinden büyük olur mu? Kelle gitmezse iyidir.

DİĞER SANATLARDA NELER YAPTIK, ONU ANLATIR.

İşte böyle zamanlardı. Resimde, çizimde, heykelde olabildiğince geri kalındı. Edebiyat adına ise sadece şiir yazıldı.

O dönemde çok güzel şiirler yazılmıştı. Fakat bugün onların anlaşılması için Türkçe'den başka Farsça, Arapça ve Osmanlıca bilinmesine de gerek vardır.

Bunlardan başka geçmişten günümüze sadece direkler arasında oynanan Hacivat- Karagöz oyunları kalmıştır.

O günün konularının bile bugün anlaşılması okuyucu için zor olacağından ben - haddim olmayarak- Hacivat-Karagöz 'muhaveresini' günümüze taşırken biri iktidarda, diğeri muhalefette iki politikacımızın arasında geçen gerçekçi bir diyaloga çevirdim.

Aynı zamanda 'Memleket nasıl battı? ' diye merak edenlere, bugün hâlâ çeşitli şekillerde sürüp gitmekte olan, ancak ana hatları asla değişmeyen diyalogdan bir nebze sunuyorum. Bu diyalogun sahneye konulduğu yer artık Direklerarası olmayıp, Liderlerarasıdır.

Hacivat: Vay efendim Karagözüm, yar-i vefakarım. Gel seninle bugün iktidar-muhalefet oyunu oynayalım.

Karagöz: Oynayalım Hacivat, ama nasıl yapacağız?

Hacivat: Canım çok kolay, ben hükümetin başı olacağım, sen muhalefetin başı.

Karagöz: Yok devenin başı.. Muhalefet olacağıma ot yedi başı olurum daha iyi..

Hacivat: Canım Karagözüm, hemen hiddetlenme, sözün temsili...

Karagöz: Sözün temsili ise mesele yok. Ben de ciddi sanıp korkmuştum. Haydi başlayalım.

Hacivat: Hoş geldiniz sayın muhalefet lideri. Nasılsınız. Eşiniz nasıl?

Karagöz: Hoş bulduk sayın hükümetin başı. İyiyiz hamdolsun, işimiz de iyidir.

Hacivat: İşiniz demedim, eşiniz dedim. Karınız var ya...

Karagöz: Karım vardı, biraz da süt buldum, dondurma yaptım.

Hacivat: Efendim, zevcenizi soruyorum.

Karagöz: O da var, ama kullanmak için kahve gelmesini bekliyorum.

Hacivat: Neyi kullanmak için?

Karagöz: Cezveyi sormuyor musunuz?

Hacivat: Hayır efendim, yani refikanız demek istiyorum.

Karagöz: Ha o mu? Karadeniz'de battı.

Hacivat: Nedir o batan?

Karagöz: Bizim filika..

Hacivat: Canım sizin evdekiler yok mu?

Karagöz: Bizim evde kiler yok. Biz köylüyüz, musandıra kullanırız.

Hacivat: Aman efendim, siz de bir şey anlamıyorsunuz.

Karagöz: Bunlar ayıp şeyler. Bize ne sorulmuş da anlamamışız. Biri bir şey mi sormuş da biz yanlış cevap vermişiz. Hükümetin başının ne demek istediğini anlamak mümkün değildir.

Hacivat: Neyse efendim bırakalım bunları, en iyisi gelin sizinle bir diyalog kuralım.

Karagöz: Bir ürolog mu bulalım? Hamdolsun, benim bir şikâyetim yok.

Hacivat: Yani efendim, karşılıklı gelip konuşalım, anlaşalım diyorum. Bir gazap, bir hiddet bir kavga, iş dövüşe kadar varıyor.

Karagöz: Yemiş'e kadar mı varıyor. Varsın efendim. Oradan bir vapura daha biner, Fener- Sütlüce üzerinden Eyüp'e kadar gideriz.

Hacivat: Bunların anlamı yok, sadede gelelim diyorum.

Karagöz: Teşekkür ederim, ben sedire gelmem, böyle koltukta daha iyi..

Hacivat: Sedir değil sayın muhalefet lideri. Yani konumuzun adını koyalım.

Karagöz: Koyalım, dur bakalım konuğumuzun adı ne olsun?

Hacivat: Konuğumuzun demedim, konumuzun dedim. Konumuzun adı ekonomi olsun.

Karagöz: Peki kabul.. Konuğumuzun adı ekonomi olsun, ne ikram edelim kendisine?..

Hacivat: Sizinle anlaşamayacağız galiba, en iyisi çıkıp basına bir demeç vermek.

Karagöz: Sen çıkarsan beni de buraya palamarla bağlamadılar ya, ben de çıkar bir demeç veririm.

Ülkemizdeki sanat açığı, işte bu sağırlar diyaloğunun adeta bir sanat haline getirilmesiyle kapatılmıştır.

Fakat sonradan durum epey düzeldi. Ülke sanat faaliyetleri ile dolup taştı. Hatta İstanbul dünyanın en ünlü sanatçılarını konuk eden bir festivale bile sahip çıktı.

Neydi o günler!.. Giselle'de oynamak için ünlü bale sanatçısı Rudolph Nureyev bile (toprağı bol olsun) gelmişti. O gün ülke sanat tarihine geçecek bir gün yaşanmış ve toplum polisleriyle gazoz satıcıları dahi Nureyev'in gösterisini sonuna kadar ayakta izlemişlerdi. Çünkü kalabalıktan, ön taraftan kurtulup arkaya gelmeleri mümkün olamamıştı. Seyircilerin sahne üstüne kadar çıkmaları nedeniyle ünlü sanatçı 'entrechat'ları* ile 'pirouette'lerini** hayranlarının bedenleri üzerinde yapmak zorunda kalmıştı...

O günden bugüne sanat öyle ileri noktalara ulaştı ki, varoşlardaki insanlarımız bile neredeyse birer sanat uzmanı oldular. En iyi yetişenler de sucuk ekmekçiler, kokoreççiler, köfteciler, lahmacuncular, mısırcılar ve otopark bekçileri oldular. Bunlar

* entrechat: bacakları havada çapraz duruma getirerek sıçrama hareketi
** pirouette: tek ayak üstünde dönme hareketi

lahmacuncular, mısırcılar ve otopark bekçileri oldular. Bunlar ruhlarını Schubert, Schuman ve Mozart'la doyurmak isteyenlere konser salonları önünde sucuk, sosis ve mısır sunmak için adeta İstanbul Sanat Festivallerinin en yakın takipçileri oldular.

İstanbul Sanat Festivali'nin bir özelliği de her yıl Topkapı Sarayında konusu Topkapı sarayında geçen 'Saraydan Kız Kaçırma' operasının sergilenmesidir.. Hatırlıyorum bir tarihte, halkı da bu gösterinin içine çekmek isteyenler Mozart'ın ünlü operasını Gülhane Parkı'nda sergilemeye kalkmışlar ve bu durum halkın Gülhane Parkından kaçmasına neden olmuştu.

O günler unutulacak gibi değildir. Bu ülke neler gördü.. Bir kültür bakanımız vardı ki, bir ara baleye 'Türk adımlarını' sokmak isterken, yanlışlıkla kültür işlerine bacağını daldırmıştı. Sinemamızı da kurtarmaya çalışıyordu ki, bunda başarılı olduğu söylenebilir. Bakanlıktan alındığı gün sinemamız bir ölçüde kurtuldu.

Filmciler sık sık kendisini ziyaret ediyorlardı. Bu ziyaretlerden birinde ben de bulunmuştum. Konuşmada sadece adları değiştirdim, ancak genel havası aşağıdaki gibidir:

ODACI: Sayın Bakanım, filmciler gelmişler.

BAKAN: Buyursunlar, gelsinler bakalım... Oooo.. efendim, kimleri görüyorum... Sinemamızın sultanı.. Hoş geldiniz, sefalar getirdiniz.. Nasılsınız?

SULTAN: Eee... Bee.. Cee... Sağolunuz.. hımmm.. Sayın Bakanımız. Eee.. Arz-ı hürmet ederim ııı... efendim. (Gözlerini sağa sola, yukarı aşağı indirir, kaldırır)

BAKAN: Asıl hürmet bizden efendim.. Ben sizin en eski hayranlarınızdan sayılırım. İlk okula giderken bir filminizi görmüştüm de, doğrusu hayran kalmıştım.

SULTAN: Eee.. Bee.. Ceee. Bir yanlışlık ııı... olmasın beyefendi. Ben o kadar yaşlı sayılmam. Eeee.. Belki bebekliğimde eee.. çevirdiğim... Hangi film acaba cee?..

BAKAN: Ah, hanımefendi.. kafa mı kaldı ad hatırlayacak Ama siz çingene rolündeydiniz.

SULTAN: Eee.. O kadar çok filmde ııı.. çingene rolünde oynadım ki.. iii..

BAKAN: Neyse efendim.. Sadede gelelim. Eveeet.. Bu arkadaşlar da sinemadan mı?

SULTAN: Eee.. Efendim Akif bey ünlü üüü.. yapımcımız, senaristimiz, ııı... yönetmenimiz, barmenimiz. Aaa.. Atıf Yormaz ile Harun Refiğ yönetmen oluyorlar eee...

BAKAN: Çok memnun oldum. Gelelim sizin meselenize. Buyurun emredin.

AKİF: Estağfurullah, ricamız olabilir ancak... Malumualiniz Türk sinemasının içinde bulunduğu durum.

BAKAN: Biliyorum, haberim var. Kurtaracağım. Allahın izniyle, Atatürk'ün kavliyle Türk sinemasına da çağ atlatacağız. Bundan sonra Altın Portakal yerine Altın Oskar peşinde koşacaksınız.

AKİF: Para lazım bu işler için efendim.

BAKAN: Vereceğiz efendim. Bu sabah Bakanlar kurulunda söz ettim zaten. Sağolsunlar, Başbakan bizzat ilgilendiler, matbaaya emir verdiler, basılıyor paralarınız. Para önemli değil, kültür için elbette vereceğiz de, yalnız benim de sizden bir ricam olacak.

AKİF YORMAZ: Emriniz olur. Ne gibi efendim?

BAKAN: Geçen gün bir film gösterdiler. Ağa'lı bir şey... Olmaz ki kardeşim, böyle de film çekilmez ki.

HARUN REFİĞ: Hangi film acaba?

BAKAN: Ağa'lı bir şey. Dilimin ucunda da gelmiyor. Fakir Ağa mı ne??.

SULTAN: Eeee.. beee.. Ceee.. Züğürt Ağa olmasın ııı..?

BAKAN: Hay ağzınızı öpeyim.. Bravo.. Züğürt Ağa. Yahu bir kere sorarım size züğürt ağa ne demek. Yani memlekette ağalık var demek istiyorsunuz. Tamam, diyelim ki ağalık var. Bari ağayı zengin yapalım arkadaşlar. Beş parasız, lahmacun satarak, domates satarak geçinen ağa olur mu? Yani demek istiyor ki o arkadaş, memleket battı ki o kadar olur. Ağa bile geçinemiyor artık. Bunlara paydos diyeceğiz. Tamam belki paranız yoktu. Mecburen ağayı da züğürt yaptınız. İşte size bol para vereceğiz. Ağalar zengin olacak bundan böyle.. Tamam mı?

HEP BİRLİKTE: Tamam bakanım.

BİR FİLM ÇEVRİLİYOR, ONU ANLATIR.

Bu şekilde sağlanan paralarla epey film çevrilmiştir.. İstersiniz bu filmlerden birinin hazırlık safhasına bir göz atarak sanat kulislerine hep birlikte dalalım:

YAPIMCI (Prodüktör): Arkedeşler, ne içiiirsiniz. Çoy mi, kohve mi, yoksa neskayfe mi? Kornınız açsa kokoreç, lehmacun, kebab söylüyüm. Hanumefendü yirmisiniz?

BAYAN OYUNCU: Yok.. Almayayım, dokunuyor.

YAPIMCI: O zaman Adana şiş söylüyüm. Böööyle... ağzınıza layuk.

BAYAN OYUNCU: Ay öyle güzel anlatıyorsunuz ki, Abdürrezzak bey, ağzım sulandı yani, ama çoook mersi. Şişmanladım zaten, kilo vermem lazım.

YAPIMCI: Yok canım fefkaladeydünüz dün akşamleyin, yani bu zebahleyin mi yoksa. Gayetlee iyiydiniz. Yani iyisinizdir herhalde. Hiç şişman görükmüyordunuz da.. Görükmüyorsunuz yani hanımefendü. (Erkek oyuncuya döner) Size söylüyüm yakışıklı abüm.

ERKEK OYUNCU: Yok istemem.

YAPIMCI: Ya'u amma nezlandiniz be kardeşim. Sayın senarist abim, siz ne emredersiniz?

SENARYO YAZARI: Çok mersi Abdürrezzak. Ben yeni yedim, geldim.

YAPIMCI: Biraz yeyin be kardeşim, biz de fatura toplayak. Kültür bakanlığına hesap vericez sonunda...

(Kebaplar, lahmacunlar, çaylar, kahveler gelir)

YAPIMCI: Arkedeşler, bakanımız sağolsunlar, kesenin ağzını biraz açmak şeyini göstettiler de yüzümüz biraz para gördü... Paralar geldi çok şükür. Şimdi bu paralara layuk güzzeel bir film yapmak kalıyor bize. Evelallah yapacağız da. Hepünüzü böyle topladum ki, olayın ne kadar ciddi olduğunu görmenüz içün. Şurada, şu güccük yazanede ülkenin can damarı atıyor. Madariftarımız güzzeel başrol oyuncumuz hanumefendü sanatçımız, en jön prömiyyemiz yakışıklı abümüz. En birinci yönetmenimiz Akif Yormaz biladerimüz. Ve buggüne kadder binlerce senaryo yazmış olan Sefabümüz.. Sefabü, şimdi bize çok möhim bir senaryo yazmış bulunuyor.

SENARYO YAZARI: Estağfurullah, sadece kabataslak.. Henüz yazmadım.

YAPIMCI: Nasıl olsa yazarsın Sefabü.. Senin için yazmak ne ki. Coccuk oyuncağı. Bu müthiş oyuni Akif Yormaz biladerimiz yönetecek tabii. Tam ona göre bir film. Kodin ağırlıklı ve sosyal içerüklü.

YÖNETMEN: Filmin konusu belli mi?

YAPIMCI: Yoh, daha belli değül amma Sefabümüz eşşek deeel ya, nassolsa bize kodin ağırlıklı bir film yazacak. Zaten onun için değil midür ki, taa İzmir Fuarındaki kazinosundan izin alaraktan bu güzzeel hanımefendüyü buraya kader getürttük. Dün akşam kendüsünü ikne etmeye çalıştım. Canım çıktı yani. Sonunda ikne oldu mu bilmiyorum. Belki bu gece de ikne etmeye uğraşacağım. Hele bir Sefabü içindeki kurtları bi döksün. Bi dinleyek. Haa Sefabü..

SENARYO YAZARI: Sağol canım, o sizin şeyiniz... Arkadaşlar, tabii Kültür Bakanlığından gelen ve bize de ilaç gibi gelen bu taze paranın hakkını verebilmek için Abdürrezzak kardeşimizden teklif aldığım günden beri düşünüyorum. Ne yazayım da yeni olsun, taze olsun. Sonunda ortaya dünya durdukça duracağına inandığım bir konu çıktı zannediyorum. Vatana, millete hayırlı olsun. Filmin adı sizi önce biraz şaşırtacak: Ahmet...

KADIN OYUNCU: Ahmet de kim?

SENARYO YAZARI: Filmin adı Ahmet..

ERKEK OYUNCU: Sadece Ahmet mi?

SENARYO YAZARI: Evet, sadece Ahmet.

YAPIMCI: Bir dakika arkedeşler, size tuhaf geldi biliyurum amma bana da tuhaf gelmüşti ilk önceleri. Ama Sefabü, sağolsun, üzah etti ; Şekesper diye bir yazar arkadaş da buna benzer bir şey yazmış... Dünyayı yerinden oynatturmış...

SENARYO YAZARI: Evet, ismin kısa ve akılda kalıcı olmasını istedim ve bu konuda Şekspir'den esinlendiğimi inkâr etmeyeceğim. Biliyorsunuz onun da en önemli yapıtının adı Hamlet'tir. Birçok eser yazmıştır, ama kısa ve akılda kalıcı olduğu için en bilineni Hamlet'tir. Hatta Abdürrezzak bile adını duymuş olabilir..

YAPIMCI: Öyle bir şey duymuştum hakkaten. Şu kurukafalı adam deel mi?

SENARYO YAZARI: Aynen.. Filmin konusu kısaca şöyle. Ahmet bir gazinocular kralının oğludur. Babası öldürülür, ancak katili bulunamaz. Ahmet bir gece rüyasında babasını görür. Babası şöyle der:

-Ahmet, benim canım oğlum, beni amcan öldürdü. Karım Şerife'ye, yani senin annene göz ve başka şeyler koydu. Onunla evlenerek gazinonun sahibi olmak istiyordu.

Bunu öğrenen Ahmet gazinoda bir müzikal gösteri düzenler ve babasının amcası tarafından öldürülüşünü sahnede aynen canlandırır. Amca kiralık katillerini Ahmet'in peşine takar. Fakat Ahmet onları karate ve judo darbeleri ile komaya sokar. Sonunda kılıcını amcasına da saplayacaktır.

KADIN OYUNCU: Peki ben hangi rolde oynayacağım burada. Biraz erkek erkeğe gibi geldi bana.

SENARYO YAZARI: Sen Ofelya rolündesin; adını Açelya yapacağız. Bir çiçek gibi açılıp, saçılacaksın. Gazinonun assolisti olacaksın. Ahmet sana âşık olacak, fakat Ahmet'in amcasının tuttuğu kiralık katiller onu ararken seninle karşılacaklar Saray'da.

YÖNETMEN: Sarayda mı?

SENARYO YAZARI: Ne sarayı canım, gazinoda demek istiyorum. (kadın oyuncuya döner) Senin gibi güzel bir kızla karşılaşınca haliyle tecavüz etmekten kendilerini alamayacaklar ve sen de aklını kaçıracaksın.

KADIN OYUNCU: Bana biraz mantıksız geldi... Neden kaçırıyorum ki aklımı?

SENARYO YAZARI: Sana defalarca tecavüz ediyorlar da ondan. Bir sürü katil, biri iniyor, biri çıkıyor, düşünsene..

KADIN OYUNCU: Düşünüyorum, ama ortada aklımı kaçıracak bir durum göremiyorum.

SENARYO YAZARI: Yavrum, sen filmde sen değilsin. Açelyasın; bir çiçek kadar masum, ürkek, korkak. Cinselliği hiç tanımamış, ama cinsel organları aşırı gelişmiş bir genç kızsın.

KADIN OYUNCU: Oldu o zaman?

SENARYO YAZARI: Genç kız aklını kaçıracak ve Bakırköy'e düşecek.

YAPIMCI: Lafını lahmacunla kestim Safabi.. Bakırköy'e düşürmesen de hani, cankurtaranla giderkene bir çukura düşürsen, orada can versün zavallı.

SENARYO YAZARI: Neden?

YAPIMCI: Ya'u hastene sahneleri çok pahalı biliyon ya sen de.. Hem daha gerçekçi olur. Bugün İstanbul'da en aklı başında adam bile Bakırköy'e gidemiyor. Akılsız kız nasıl gidecek?

SENARYO YAZARI: Orasını siz hallедersiniz artık. Ahmet babasının intikamını alacak, amcasını öldürecek. Filmin çok orijinal bir sonu var. Ahmet babasının kafatasını eline alarak 'Ölmek veya ölmemek.. işte mesele bu' diyecek.

YÖNETMEN: Olmak veya olmamak değil miydi?

SENARYO YAZARI: Dedim ya Akifabi orijinal olacak diye. Ben ölmek veya ölmemek diye bitiriyorum..

ERKEK OYUNCU: Güzel bir senaryo, Sefacığım, eline sağlık. Yanlış anlama... Eleştirmek için söylemiyorum, ama bir çocuk yok filmde.

SENARYO YAZARI: Valla kardeşim ne desen haklısın. Bunu ben de düşündüm. Bir çocuk koyayım filme dedim. Hani parkta bir adam görsün, annesine 'Anne, ben bu amcayı çok sevdim' desin.. Annesi de bir baksın, adam çocuğun babası değil mi? İşte böyle orijinal bir trük bulayım diye kafa patlattım, ama olmadı. Ahmet evli değil. Açelya da öyle. Bunların çocukları yok. Ahmet'in annesinin çocuğu var, ama o zaten Ahmet ve kazık kadar olmuş... Yani konu müsait değil.

YÖNETMEN: Çok güzel öykü. Ben beğendim. En azından orijinal. Gerçi Hamlet'e benzetenler çıkacak, ama alakası yok. Hamlet danimarkalıydı, bizimki Aksaraylı.

KARAKTER OYUNCUSU: Ben hangi rolde oynayacağım?.

YAPIMCI: Seni Ahmet'in babası rolü için düşündük Kadir Baba.

KARAKTER OYUNCUSU: Ahmet'in babası ölmemiş miydi?

SENARİST: Ölmüş, ama Ahmet'in rüyasına giriyor ya. Rüya sahnesi çok önemli Kadir Baba.. Orada bir matematik var.

YAPIMCI. Yaaa Safabü.. Önce Kadürabü biraz yaşasın bee. Bir-iki rol kessün. Bir kerem yardımcı karakter oyuncusu rolüyle altın portakalı götürek. Sonra öldürek..

SENARYO YAZARI: Bakalım, bir şeyler düşünürüz artık..

YAPIMCI: (Kadın oyuncuya) Hanımefendüü, senün bir itirazun, neyin var mı?

KADIN OYUNCU: Ay... Var yani... Yannış annamadıysam beni deli kadın rölünde oynatacaksınız, ama ben deli rolü yapamam ki.

YÖNETMEN: Merak etme, sen işin orasını bana bırak. Ben seni..

KADIN OYUNCU: Tamam da mesele o değil Akifabi. Deli rolü oynamak için böyle saç-baş dağınık... makyajsız, bilmem ne.. çıkamam ben seyircimin karşısına. Hayranlarım beni öyle kabul etmiyorlar, refüze ediyorlar sonra.

YAPIMCI: Hanımefündü, kim diyür ki sana saç-baş dağınık... diye.

KADIN OYUNCU: Ne bileyim ben, deli deyince öyle olmaz mı?

YAPIMCI: Yoh be yavriiim! Sen hiç merak etmeyesen. Seni aklı başında deli yaparız haa Safabi. Makyajlı bilmemneli deli olmaz mı, bal gibin olur.

KADIN OYUNCU: O zaman olur. Olur mu Akifabi?

YÖNETMEN: Ne yapalım kız. Seni mi kıracağız.

KADIN OYUNCU: Bir şey daha var. Yine yannış annamadıysam Ahmet'in amcasının kiralık katilleri bana tecavüz ediyorlar değil mi?

SENARYO YAZARI: Evet, çünkü senin delirmen lazım senaryo gereği. Burada çok önemli bir aritmetik var. Rahatsız mı oluyorsun tecavüzden?

KADIN OYUNCU: Yok bana göre hava hoş da hani mantıksız geldi biraz. Bunlar kiralık katiller. Benim bildiğim kiralık katiller kendi işlerini bırakıp kadınlara tecavüz etmezler. Tecavüzcüler ayrıdır benim bildiğim...

SENARYO YAZARI: Yavrum, ben demin bu film orijinal olacak derken sen anlamadın herhalde. Benim filmimde kiralık katiller sadece adam öldürmüyor, yiyor içiyor, yatıyor uyuyor ve yeri geldikçe tecavüz de ediyorlar. Altın portakalı almak için biraz alışılmadık işler yapmak lazım.

YÖNETMEN: Eğer sen istemezsen yaptırmayız yani. Sadece öldürürler ve giderler.

KADIN OYUNCU: Yok canım, yapsınlar da yalnız Abdürrezzak, söyle o adamlara tecavüz günü soğan, sarımsak, lahmacun, kebab falan yemek yasak. Sonra tam tecavüze uğrarken midem kalkıyor ayağa..

Yeri gelmişken Türk sinemasına dair birkaç söz daha edelim. Türk sineması zengin kız-fakir erkek aşklarının her türlüsünü çevirdikten sonra değişiklik olsun diye bu kez fakir kız-zengin erkek konularına da el attı. Bu konu aslında fena bir konu değildir, ama nedense, Türk sineması bu özelliği nedeniyle epey eleştiri almıştır.

Oysa Amerikalılar benzer bir öyküden 'Titanic' filmini yaparak, hem izlenme, hem de gişe rekorlarını kırdılar. Ayrıca tüm oscarları da silip süpürdüler.

Yani onların zengin kız-fakir oğlan aşkı sadece Titanic'i batırırken, bizim aynı konuyla sinemamızı batırmamız akıl alır şey değil...

BU BÖLÜM KİTAPLA OLAN SERÜVENİMİZİ ANLATIR...

Neden böyle olmuştur, neden ülkemiz yeterince gelişememiştir de, 21. Yüzyıl'a girilirken hâlâ 'az gelişmiş ülkeler' veya kibarca söylenişi ile 'gelişmekte olan ülkeler' arasında kalmıştır. Bunun nedenlerini yukardan beri anlatmaya çalışmakla beraber, eksik bıraktığımız hususlar da var. Bunlardan biri de kitapla olan serüvenimizdir.

Johannes Gutenberg adlı Alman mucidin baskı tekniğini Frankfurt'ta başlattığında tarih 1448'dir.. O tarihte bizim kitap olarak bildiğimiz tek şey Allah'ın kitabı olup, tüm nüshaları el yazmasıdır. Ve tarihten kolayca anlaşılacağı gibi biz o sırada Fatih Sultan Mehmet'in komutasında Peygamberimizin arzusunu yerine getirmek için İstanbul'u almaya çalışmaktayız.

Kitap işine kafamızın basması için aradan 300 yıla yakın zaman geçmesi ve İbrahim Müteferrika'nın doğup (1670) büyümesi gerekiyor. Kendisi Macar asıllı bir hıristiyandı. Köle iken müslümanlığı kabul ederek devlet hizmetine girdi ve müteferrikalığa (Padişahın yazılı buyruklarını yerlerine ulaştıran kimse) yükseldi. 1729'da Osmanlıları basılı kitapla tanıştırdı. İşte o aradaki 300 yıla yakın süreyi bir türlü kapatamadık.

Kitap deyince, nedense okumaktan çok, okumamak için bahaneler buluruz.

Örneğin okul çağında 'ders çalışmak için' kitap okumayız. Okul bitince 'ekmek parası peşinde koştuğumuz için' okuyamayız. Evlenip çoluk-çocuğa karışınca 'o gürültü patırtıda kitap okumak zor olduğu için' okumayız. Orta yaşlılıkta 'emekliliğe az zaman kaldığı için' kitap okunmaz. Nasıl olsa emekli olunca bu işlere bol bol zaman kalacaktır çünkü. Emeklilik geldiğinde ise düşünceler epey değişiktir: 'Bu yaştan sonra okuyup da ne olacaktır birader...'

14. BÖLÜM

SANAYİMİZ FAZLA GELİŞMEMİŞSE BİLE YAN SANAYİMİZ ÇOK GELİŞMİŞTİR, ONU ANLATIR.

'Sanayi' sözcüğü Arapça'dan gelmektedir. 'Sanatlar' demektir. Hatta Arapça'daki anlamı daha çok güzel sanatlardır. Yoksa Allah'ın Arabistan'ında bugün bile sanayi yok, o zaman nasıl olacak?

Bizim bu sözcüğü hâlâ Türkçe bir karşılık bulamayışımız sanayi ile aramızın iyi olmadığı gösterir. Sanayi denen şey enayi değildir. Başına gelecekleri bildiği için olsa gerek, ülkemize gelmekte epey çekingen davranmıştır. Bugün bile gelip gelmediği konusunda bazı kuşkular bulunmaktadır.

Yakın zamanlara kadar ülkemizde 'toplu iğne dahi yapılamadığı' hâlâ yaşayan bazı politikacılar tarafından kendi iktidarları sırasında toplu iğne fabrikası kurulabildiği için sık sık söylenirdi.

Bizde sanayiinin nasıl başladığı konusunda söylenti çeşitlidir. Bunlardan birine göre, 27 Mayıs 1960 Devrimi'nden sonra ihtilalin lideri Cemal Gürsel tarafından resmen ilk yerli otomobilin yapım emrinin verilmesiyle başlamıştır. Fakat benim daha gayr-i resmi bir tahminim var.

Sanırım bizde sanayiden önce yan sanayi başlamıştır; şöyle olmuştur:

O tarihe kadar ülkemize gelen sanayi ürünleri yedek parçaları ile birlikte geliyor ve burada bir parçası bozulduğunda değiştiriliyordu. Örneğin otomobiller, kamyonlar, otobüsler, traktörler olduğu gibi dışardan getiriliyor, bir parçası bozulduğunda aylarca yedek parça beklediği oluyordu.

Buna ekonominin sabrı yoktu. Küçük bir parça için koca aracın 'gavur ölüsü' gibi yatması herkesi rahatsız ediyordu.

Tahminlere göre günlerden bir gün, Avrupa'dan yedek parçası beklenen bir araca uyanık bir tamirci tarafından eğilip bükülüp yedek parçaya benzer hale getirilmiş bir tel veya küçük bir demir parçasının takılmasıyla sanayi bizde de başlamış oldu.

Ondan sonra bu bir alışkanlık halinde sürüp gitti: Hâlâ en gerekli parçaların yerine bir tel veya demir parçasının takılması adettendir.

Böylece bizimkiler sanayi denen meretin atla-deve olmadığını fark ettiler. Sonuçta her şey demir ve tel parçalarının eğilip bükülmüş şekilleriydi. Fakat bu durum kötü sonuçlar doğurmaya başlamıştı.

Bir süre sonra bizim uyanık tamirciler yedek parçası olsa bile, her şeyi demir ve tellerle tamir etme alışkanlığı içine girdiler.

-Abi bak, krank miline dünya kadar para vereceğine, tak şu demiri oraya nasıl gidiyor?.

-Hocam benim arabanın amortisörleri bozulmuştu. Attım hepsini yenisini takmadım. Usta iki boru taktı, pekâlâ yürüyor.

-Yahu makaslar için masraf yapmaya ne gerek var; takmasan da takır takır gidiyor.

Aslında bu şekilde tamir edilen araçların çoğu dağ, bayır ve dere çukurlarına doğru gidiyordu.

Madem lafını ettik, merak uyandırmasın... Cemal Gürsel'in emriyle yaptırılan "Devrim otomobilinin öyküsünü de anımsayalım:

Dediğim gibi zamanın Cumhurbaşkanı tarafından makine mühendislerimize bir otomobil yapılması emredilmişti. Eskişehir Devlet Demir Yolları'nın atölyelerinde 'Devrim' adı verilen bir otomobilin yapımına başlandı. Bunun da her parçası 'yerli ' değildi, ama montaj sanayiinden önce oluşu önemlidir.

Devrim otomobili sonunda bitti, törenle yola çıkmaya hazır hale getirildi. İlk yolculuğu Cumhurbaşkanı yapacaktı. Cemal Paşa otoya bindi fakat yolculuğu çok kısa sürdü. Devrim otomobili 50 metre gittikten sonra stop etmişti. Nedeni depoya benzin koymanın unutulmasıydı.

Kime sorsanız, size öyküyü bu şekilde anlatacaktır. Oysa bir de sonu var.

Gürsel Paşa'nın 'benzini unutuldu' diye seri üretiminden vazgeçtiği söylenen otomobil bu satırların yazıldığı 2005 yılında (yani olaydan 45 yıl sonra) Eskişehir Devlet Demir Yolları atölyesi içinde hâlâ çalışıyor.

Mühendislerimiz 'Devrim' sağlam olsun diye ilk Türk otomobilinin tüm parçalarını tenekeden değil, demirden, hatta çelikten yapmışlardı.

Benzin unutuldu diye seri üretimden vazgeçilir mi?.

Benzin konulur, araba giderdi.

Hepsi hikâye...

Belli ki, arabanın yapımı sırasında birileri Cemal Paşa'nın kulağını bükmüştü. Ve bu sağlam aracın yapımından vazgeçmesi için ikna edici gerekçeler (örneğin dış yardımın kesilmesi gibi..) göstermişti.

Zira otomobil sanayi tam o sıralarda 'üret ve çürüt' yöntemine yönelmiş; kapitalist sistemde ilerlemenin sağlamlıktan değil, tüketimden geçtiğini keşfetmişti.

Bundan sonra biz yurt dışından getirilen parçaların yurt içinde vidalanmasına 'otomobil sanayi' adını verdik. Durum ufak tefek farklılıklarla hâlâ aynı şekilde sürüyor.

İlk zamanlarda arabaların sadece adları yerliydi. Sonradan bazı parçaları da yerlileşti. En sonunda tüm parçaları yerli hale getirildi. Bunun en büyük yararı da tamircilere yeni bahaneler yaratması oldu.

-Yerli parça abi, n'olucak... türünden.

BİRAZ NOSTALJİ..

Yerli otolarımız uzun süre yurt dışına satılamadı. Bunun da nedeni gerekli pazarlama yöntemlerinin bulunamamasıydı.

Ben olsam başka taktikler denerdim.

Örneğin 'Bu arabaların dünyada bir eşi daha yok' şeklinde bir slogan dikkat çekici olabilirdi. Herkes dünyada bir eşi daha olmayan bir otoya sahip olmak istemez miydi?

Elbette lafın arkasını da getirip inandırıcı olmak gerekirdi:

-Dünyada bütün arabalar bilgisayarla dizayn edilirken ve rüzgâr direnci katsayısına göre şekillenirken biz hâlâ göz kararı ile araba üretiyoruz... dediniz mi, akan sular dururdu. Abartmayayım; akan sular durmasa ile tahrik edici olmaz mıydı?

Neden olmasın? Bilimsel araştırmalara göre göz yapısının en iyi bilgisayar kapasitesinin birkaç katına ulaştığı biliniyor. Bu satırların altına 'göz kararı' ile rüzgâra karşı direnci hesaplanmış otolarımızdan birinin fotoğrafı da kullanırsa millet iyice çarpılırdı.

Zira son model otomobillerimizin modelleri dünyada çoktan unutulmuştu. Fazla iyimserlik olacak, ama Henry Ford'un 'T' modelinden hemen sonra çıkardığı bir model bile sanılabilirdi.

Üstelik pırıl pırıl. Birçok zengin, kolleksiyonuna bunlardan birini dahil etmek isteyebilirdi.

Yabancı alıcıyı iyice etkilemek için el işçiliği üzerinde de biraz durulabilirdi. Zira yabancılar el işine de önem verirler.

'Gerçek el işçiliği' başlığı altında şu bilgiler verilebilirdi:

'Dünyadaki uygulamanın aksine, otolarımızın yedek parçaları sanayi sitelerimizde faaliyet gösteren Türk işçilerinin elinden hiçbir makineye değmeden çıkmıştır. Daha sonra bu parçalar yanyana getirilerek rastgele vidalanmıştır.

O yüzden bir-iki vidası daima eksik olan arabalarımız yola çıktıklarında, vidalanmamış parçaların birbirine çarpmasından oluşan özgün bir sese sahiptir.

Kapı anahtarlarına gelince... Kapıların uzaktan kumandayla açılmasını sağlayan teknolojiyle rekabet edebilmek için biz ' Bu arabalardan birini satın aldınız mı, kapı anahtarına bile gerek kalmayacak 'diyebilirdik.

Nedenini uzun uzun açıklamaya gerek yoktu, ama ben kulağınıza fısıldayayım: Nasıl olsa kapılardan biri hiç kapanmayacaktı.

Yerli arabaların başka özellikleri de vardı.

Direksiyon ve pedalları o kadar sert yapılıyordu ki, debriyaja basan sol ayak ile direksiyonu çevirmeye çalışan kollar müthiş güçleniyordu.

Judo ve karate şampiyonalarında üstüste konmuş 50 kiremiti tek darbe ile parçalamak, bir Murat 124, bir Renault 12 ve bir Anadol sürücüsü için çocuk oyuncağı olup çıkmıştı.

Kaportaları konusunda ise zeytinyağı tenekelerinin bir süre çiçek saksısı olarak kullanılmasından sonra oto sanayii'nin hizmetine verildiği rivayet ediliyordu. Durumun avantajları ve dezavantajları vardı. Tamire götürdüğünüzde kaportacı duvar dibine konmuş çiçek saksılarından birini biraz çekiçleyip, arabanıza çamurluk haline getirebiliyordu.

Fakat iş boyaya gelince durum değişiyordu. Ön çamurluklardan boyaya başlayan usta, yeniden ön çamurluğa geldiğinde biraz önce boyadığı yerin çürümeye başladığını görüyordu.

O yüzden bir yerli otomobil ile sizi tamirci yolunda görenler, tamirciye mi gittiğinizi, yoksa tamirciden mi döndüğünüzü anlayamıyorlardı.

Daha önce Anadol üretilmişti, ama bu arabaların hayvanlar tarafından besin maddesi sanılması nedeniyle Murat'ların yıldızı parlamıştı.

'Al bir Murat, rahat et' sloganı ile pazarlanan Murat'ın rahatlığı, kapı önüne bıraktığınız arabanın bir ineğin 4 bölümlü midesinde dolaşıyor olmasından kuşku duymamanın rahatlığı olsa gerekti.

15. BÖLÜM

KENDİ İŞİMİZİ ALLAH'A EMANET EDİP, ALLAH'IN İŞİNİ ÜSTÜMÜZE NEDEN ALDIK, ONU ANLATIR.

Dinler tarihinde çok gerilere gidildiğinde Türkler'in güneşe tapınma ve şamanizm dönemlerinden geçtikten sonra müslümanlığı topluca kabul ettikleri görülür.

Fakat bugün hâlâ din kurallarının tam olarak neler olduğu konusunda anlaşmazlık içindeyiz. Her Allahın günü Diyanet İşleri Başkanlığına veya din adamları ile ilahiyat profesörlerine mektup, telefon ve e-posta göndererek Tanrı'nın buyruklarının neler olduğunu öğrenmeye çalışmaktayız.

Bunun başlıca nedeni Tanrı'nın kutsal kitabımızı Arapça olarak göndermesi ve bizim bu bilgileri kendi dilimizde okumaya yanaşmamamızdır. Hal böyle olunca içerik net olarak anlaşılamamakta, araya giren din adamları ve bazen din bezirganları farklı yorumlarıyla kargaşayı büyütmektedirler. Elbette her şeyi bilen Büyük Allah, bizim içimizden geçenleri anlamakla birlikte, biz onu tam anlamıyla anlayamadık ve emirlerini doğru-dürüst uygulayamadık.

Örneğin kutsal kitabımızın 'Hırsızlık yapmayacaksın, yolsuzluk yapmayacaksın, kimseyi kandırmayacaksın, tüyü bitmemiş yetimin hakkını yemeyeceksin, komşun aç uyurken sen tok yatmayacaksın, temizlik imandan gelir...' mealindeki emirlerini kös dinledik.

Bunların hepsini yaptığımız halde ' Elhamdülillah müslümanız' diye el açıp dua edince suçlarımızın affedileceğini sandık.

Tabii öteki tarafta neler olacağı bilinemez ve tahmin dahi edilemez; ancak Büyük Allah'ın suçlarımızı cezalandırmaya, daha öteki dünyaya gitmeden başladığına dair az belirti yok değil.

Hangi belirtiler var diye soracak olursanız, elinizde tuttuğunuz kitap biraz da bu belirtilere dikkati çekmek için kaleme alındı zaten; yukardan beri okuyorsunuz.

Her şeyi anlamasak bile Allah'a şükür, Tanrı inancımız ve Peygamber sevgimiz tartışılmaz.

Ve her işimizi bir punduna getirip Allah'a bağlamakta üstümüze yoktur:

-İşler nasıl gidiyor?

-Allaha şükür.

-Ne olacak halimiz?

- Allah bilir...

- IMF canımızı çıkarıyor.

- Allah'ından bulsun..!

- Trafik kazaları?

- Allah korusun!

- Eğitim?

- Hafazanallah!

- Atatürk ilkeleri?

- Atatürkçüyüz, Elhamdülillah!
- Peki laiklik?
- Fesuphanallah!
- Ülkede irtica hortladı deniyor, ne dersiniz?
- Lailaheillallah!..
- Asgari ücret?
- Allah versin!
- Sağlık vaziyetleri?
- Allah'a emanet!
- Sosyal yardım?
- Fitre, zekat, kurban derileri...
- Kültür, sanat?
- Kuran, hadis, sünnet...
- Spor, beden eğitimi?
- Spor alarak günde 5 vakit namaz, uzun mesafe koşuları Hac farizası sırasında Arafat çevresinde yapılacak.
- Sanayide durum?
- Maşallah!
- Konut sorunu?
- Bu dünyada çözemedik. İnşallah öteki dünyada cennetin anahtarını vereceğiz.
- Adalet işleri?
- Allah büyük...
- Bu şekilde ülke kalkınır mı?
- İnşallah!

Bu dünyada durum böyle olmakla birlikte, öteki dünyada müslümanların çok rahat edeceği konusunda bazı bilgiler de var.

İmam ve Hatip Ali Rıza Demircan 'İslama Göre Cinsel Hayat' başlığı altında insanın ağzının suyunu akıtacak bilgiler veriyor. Bu kitaba bakılırsa eğer cehenneme düşmez de, cennete kapağı atabilirsek öteki dünyada işimiz iş..

Şöyle ki:

'Cennetliklerin en alt derecesine yetmiş iki kadın verilecektir. Dünyada kadınlarla erkeklerin sayısı birbirine eşit gibi olduğuna göre bu durum cennette teaddüt-ü zevcat (çok evlilik) olacağını gösterir. Dünyada iki, üç veya daha fazla erkekle evlenmiş kadınların yanı sıra, kocaları da cennete giderlerse, o kadınlara seçim hakkı verilecektir. Onlar da dünyadaki ahlakı en güzel olan eşi seçecektir..

Cennetliklerden her birinin diğer eşlerinden farklı iki eşi olacaktır. Bunların bacaklarının iliği etlerinin altından görülür. Cennette bekâr kişi olmayacaktır.

Cennetlik erkekler cennete vücutları kılsız, yüzleri sakalsız ve gözleri sürmeli olarak girecektir.

Dünya hayatında genç veya yaşlı ölüp de cennete giren cennetlikler otuz üç yaşına döndürülecektir. Bu yaşın sınırlarını ebediyen aşamayacaklardır.'

PEKİ sonra ne olacak?

Ali Rıza Demircan Hocanın Kur'an ve Sünnet'ten süzdüğü bilgilere bakılırsa

'Mümin bir günde 100 bakire ile cinsi münasebette bulanacaktır. Kadınlar cinsi münasebette bulunduktan sonra yine bakire olacaklardır. Cennetliklerin en alt derecelisinin seksen beş bin hizmetçisi ve yetmiş iki hanımı olacaktır.'

Peki bu kadar hizmetçi ve kadınla cennetlikler nasıl başa çıkacaktır?

El Cevap: Cennetlik erkeğe yüz erkek kuvveti verilecektir.

Buna karşılık hıristiyanlık dünyasında başka görüşler egemendir. Örneğin yakınlarda ölen Papa II. Jean Paul Vatikan'da yaptığı bir konuşmada

-Cennette seks yok! Orada karı-koca hayatı yaşanmayacak. Çünkü üremeye gerek olmayacak... demişti.

Papanın bu sözleri hıristiyan dünyasında bazı kuşkuları da gidermişti. Zira eskiden şöyle düşünülüyordu:

-Kadınlar cennetin tadını bile kaçırabilirdi.

Cehenneme gelince Papa bu konuda açıklama yapmamıştı. Ne var ki, sözlerinin tersinden cehennemde karı-koca hayatının süreceği anlaşılıyordu. Cehenneme de zaten bu yakışırdı.

Allah'tan bütün bunlar hıristiyan âleminin sorunlarıydı. Bizim böyle dertlerimiz yoktu.

Ben bir ara bu konulara takılmış ve Ali Rıza Hoca ile bir röportaj yapmıştım:

-Hocam sizin verdiğiniz rakamlara göre, yemeden içmeden, uyumadan her saat üç kadın... Allahın hikmetinden sual olunmaz, ama bana biraz fazla göründü. Cennetin diğer nimetlerine sıra kalmayacak.

Hoca şu yanıtı vermişti:

-Efendim, cennette yalnız cinsel hayatın zenginliği söz konusu değildir. Tüm nimetler bolcadır. Bizim bir yanılgımız daha var, o da şu: biz cennet hayatını dünyanın hayat şartları ile değerlendiriyoruz. Mesela cennette bir günde şöyle olacak, dendiği zaman oradaki gün tabiri izafidir (görece). Bizim 24 saatlik günümüze tekabül (karşılık) etmez. Ve erkekler... Yaşlı ölenler dahi 33 yaşında ve ahiret '(öteki dünya) ölçüsüne göre 60 zira boyunda olacaklar. Yani cennetin kadın ve erkekleri bizim gibi bir buçuk, iki metre arasında olmayacak.

-Zira kaç metredir?

-Zira ölçüsü bilek ile dirsek arasıdır. 36. Hadis'te 'Ahiret ölçüsüne göre 36 zira' dendiğine göre otuz altıyı böyle yorumlayacak olursak 12 metre falan olacaklar.

Din konusu benim son derece cahil olduğum bir konu olduğu için en iyisi lafı burada kesip bitirmek... 12 metrelik kadınların üçü gidiyor, üçü geliyor. Toplam 72 kadın... Ne yapalım, mecburen katlanacağız!... Çünkü bu yaşamın tek alternatifi var: Cehennem. Cehennemin ne mene bir şey olduğunu ise en iyi biz biliyoruz.

Sabah evden çıkıyor, akşama kadar koşturuyor, akşam evde yüzünden düşen bin parça, 1,5 metrenin altında boyu ve 1,5 metrenin üstünde eninde bir tek hatunla gönül eğlendirmeye çalışıyoruz. Bu durumda en iyisi cennete gitmek tabii.

16. BÖLÜM

TOPLAR YUVARLAK OLDUĞU HALDE NEDEN BİZİM KALEMİZE DOĞRU YUVARLANIRLAR, ONU ANLATIR.

Spor tarihimiz incelendiğinde son zamanlardaki gelişmeler (özellikle futbol, atletizm ve halterde) pek öngörülemez. Yakın zamanlara kadar spor alanında 'açıklaması imkânsız' bir yeteneksizlik durumu içinde olduğumuz sanılıyordu.

Futbol dışındaki spor dallarında neredeyse her yarışmada yabancı sporcular işlerini bitirip, sahadan çekildikten sonra Türkler ortaya çıkıyorlardı.

Futbol, basketbol, voleybol gibi takım sporlarında ise bir kez futbolda Macaristan'ı yendiğimiz, bir kez de Almanya ile berabere kaldığımız için ve her üç sporda da yuvarlak toplar kullanıldığından topların yuvarlaklıkları nedeniyle bir gün rakip takımlardan birinin kalesine veya potasına da girebileceği şeklindeki umudumuz sürüyordu.

Ayrıca milli kalecimiz Turgay Şeren'in M. S. (Milattan Sonra) 1951 yılında Berlin'de panter kaleci ünvanını kazanması da her maçtan önce içimizde bir umut ışığı yakıyordu.

O yüzden Türkler'i ve Türkiye'yi fazla tanımayan, bizim yukarda saydığımız başarılarımızı, üzerinden çok zaman geçtiği için unutmuş olan ve artık anımsamayan yabancıların hadlerini bildirmek gerektiğinde şu türden tatsız konuşmalar gelişebiliyordu:

-Türk sporu çok güçlüdür. Ayrıca bizim çok şanlı bir futbol geçmişimiz vardır.

-I am sorry.. Hiç duymamıştım.

- Hatta Macarları bile yenmiştik.

-Öyle mi, ne zaman?

-Bir süre önce tabii...

-Mutlaka bir süre öncedir, çünkü hiçbir takım gelecekte başka bir takımı yenmiş olamaz. Sizinki acaba kaç yıl önceydi?.

-Çok eski sayılmaz. İkinci Dünya Savaşı'ndan hemen sonra olduğuna eminiz.

Futbol sevgimiz işte böyle bir şeydi. Hatta bu sevgi futbolun beşiği sayılan İngiltere'yi bile sarsmaya başlamıştı.

Bu sevgimiz yüzünden bize vize vermekten kaçınır hale gelmişlerdi.

Çünkü vize denilince 20-30 yıl kadar gerilere gidiyor ve Trabzonspor- Liverpool maçı için İngiltere'ye giden futbol âşıklarını düşünmeden edemiyorlardı.

70'li yıllardaki o maç için İngiltere'ye vizesiz –o tarihte vize uygulaması yoktu- girmiş olan 3000 kadar vatandaşımızın bir daha İngiltere'den ayrılmadıkları saptanmıştı.

İngilizler, Kraliçenin ülkesine gösterdiğimiz aşırı ilgiden nedense pek hoşnut değillerdi. Zira Londra yakınlarında o tarihe

kadar tek tük rastlanan Türk kahveleri, önce Türk restoranlarına, restoranlar Türk sokaklarına, Türk sokakları Türk mahallelerine, ardından Türk köy ve kasabalarına dönüşmüştü. Ayrıca döner sözcüğü ingilizce bir sözcük sanılıyordu. Kebap sözcüğünün ise Shakespeare'in oyunlarında kullanılmış bir sözcük olup olmadığı tartışılıyordu.

Londra'daki kebap ve döner bolluğu Türkler'de bile bazı kuşkular yaratmıştı.

-Acaba biz bu yemekleri İngilizler den mi almıştık? diye..

İngilizlerin belirgin bir mutfağı olmaması ve bir İngiliz centilmeninin hayal edebileceği en karmaşık yemeğin sebzeli biftek olmasının da bu kuşkuda rolü vardı.

Zira usulüne uygun olarak sağlıklı etlerden yapılmış döner ve kebapların bizde yenilenlerle lezzet açısından en ufak bir ilgisi yoktu.

Bundan böyle İngilizler bizim gerçekten maça mı, yoksa ülkede kalmaya mı geldiğimizi anlamak için vize konularında garip bir uygulama başlattılar.

Vize görüşmesi için verilmesi gereken randevu tarihini maçtan birkaç gün sonrasına koyuyorlardı. Siz eğer o tarihte maç için vize almaya giderseniz, maça değil, başka bir yere gitmeye çalıştığınızı anlıyorlardı..

Eğer o randevuya gitmezseniz, gerçek bir futbolsever olduğunuz anlaşılıyor; bu kez de size vize verilmesine gerek kalmıyordu. Çünkü maç çoktan bitmiş oluyordu.

Derken bizim için sporda yükselme devri denebilecek bir durum başladı. Futboldan başlayarak her alanda şeytanın ayağı kırılmıştı. Futbolda bir ara Avrupa Şampiyonu bile olmuştuk ki, bütün dünya bize parmak ısırmış ve artık dünyanın neresine giderseniz gidin 'Türk' dediniz mi aynı sorular sorulmaya başlanmıştı:

-Türk mü dediniz? Viva Galatasaray. Sizin Hagi diye bir futbolcunuz var. Tek kelimeyle harika.. Nefis.. Nereden buldunuz?..

-Romanya'dan.

-Ya Taffarel..

-Onu da Brezilya'dan bulduk.
-Bir de Hakan Şükür'ünüz var.
-Çok şükür, o Türkiye'de vardı.
-Peki Jardel ne durumda?
-Ne durumda olduğunu bilmiyoruz. Çünkü Portekizce'den başka dil bilmiyor.. Golünü atıyor, gidip yatıyor..

Futboldaki başarılarımıza olimpiyat oyunlarındaki başarılarımız da eklenmişti..

Naim Süleymanoğlu ve Halil Mutlu neredeyse bütün altınları toplamışlardı. (Ödül olarak verilen Cumhuriyet altınları dahil)

Ancak bu sporcuları yetiştirmek de kolay olmamıştı. Naim'i Bulgaristan'dan kaçırmak için canımız çıktı.

Allahtan Halil kendi kendine kaçtı, geldi. Judo'da dünya şampiyonu olan Hüseyin Özkan da Çeçen savaşından kaçıp ülkemize sığınmıştı zaten..

Amatör sporlarda durum tam bir kaçma- kovalamacaydı sizin anlayacağınız.

Altın kazanmak kolay değildi.

Fakat Etiyopya'dan ithal Elvan Abelegesse adlı yurttaşımız bu işi de başardı.

Haltere gelince sporcularımızın maşallahı var: kilolarına göre en fazla ağırlığı kaldırma konusunda hiçbir zorluk yaşamıyorlar ve madalyaları topluyorlar. Ancak dopingli olup olmadıklarını anlamak için istenen 'idrar verme' konusunda bayağı zorluk yaşıyorlar. Her seferinde başkalarının idrarını veriyorlar ve kazandıkları madalyaları iade ediyorlar.

Yine futbola dönersek... Dünya Futbol Kupası'nda da bir üçüncülüğümüz var ki, ne kadar gururlansak azdır.

Nitekim, üçüncülük kupasını alırken ekonomiyi çökertme pahasına devlet kaynaklarının bir kısmını kendi ailesine, bir kısmını eşine-dostuna, geriye kalanları da partililere dağıtmış olan politikacı, Japonya maçının bitiş düdüğü çaldığında yerinden fırlayarak

-En büyük Türkiye başka büyük yok... diye bağırmaktan kendini alamamıştı.

Yanaklarından süzülen yaşları fotoğraflayan basın mensuplarına da

-Hani ülke batıyor diyordunuz. Size söylüyorum, bu ülke batmaz...şeklinde bir demeç vermişti..

Aslında yalan söylemiyordu.

Devletin hazinesini yemiş bitirmiş; yetmemiş Dünya Bankası'ndan gelen borç paraları da çarçur etmiş, ama ülke hâlâ batmamıştı.

Uzatılan mendille gözyaşlarını silerken devam ediyordu:

-Bu vatan için ne yapsak azdır çocuklar..

Anlaşılan bizi çocuk sanıyordu..

Hayatında hiç vergi vermemekle gurur duyan iş adamı da Japonya maçı bittiğinde büyük gurur duymuştu.

-Helal olsun sana Türkiye. Varım yoğum varlığına feda olsun... diye bağırdıktan sonra cep telefonundan muhasebecisini aramıştı:.

-Murtaza, belki inanmayacaksın, ama kazandığımız bu galibiyet ve üçüncülük kupası bana vergi vermemekten daha çok gurur verdi. Hemen git, şu vergi dairesinin yerini adamakıllı öğren. Bu sevinçle ve elimde şanlı Türk bayrağı ile koşuştururken yanlışlıkla önünden geçerim, o gururla bilmeden içine girerim diye ödüm kopuyor... demişti.

Böyle böyle işi büyüttük. Sonunda İstanbul'da bir olimpiyat yapma fikri doğdu ve İstanbul resmen olimpiyat düzenlemeye talip oldu.

Bu talebin ilk ortaya atıldığı tarih 1990 yılıydı ve 2000 olimpiyatına talip olmuştuk. O günden beri de talibiz. Şimdiden 2008 olimpiyatlarının sahibi belli oldu. Öyleyse biz 2012'ye talibiz demektir.

Olimpiyat stadımızı yaptık bile. Çok rüzgârlı ve soğuk bir bölgede olmakla birlikte, bize olimpiyat düzenleme tarihi verilene kadar dünyanın küresel ısınma nedeniyle başka bir iklim kuşağına geçeceğine ve o tarihte Halkalı'nın bile spor müsabakaları yapmaya uygun hale geleceğine meteoroloji uzmanları tarafından muhakkak gözüyle bakılıyor.

Neden olmasın?.. Milletimiz vaktiyle gemilerinin yelkenlerini atlastan, direklerini altından yapmamış mıydı?.. Sahi o gemiler şimdi neredeydi acaba?. Hiçbir yerde olmadığına göre yoksa batmışlar mıydı? Her neyse artık yelkenli gemi yapma devri geçmişti zaten, şimdi olimpiyat yapma devriydi.

Yaz olimpiyatları bir yana, çaktırmadan kış olimpiyatlarına da hazırlanıyoruz.

Çaktırmadan dememin nedeni, henüz hiçbir kayakçımızın pistlerde bir başarı sağlayamamış olması..

Sessiz ve derinden gidiyoruz.

Çalışmalarımız sırasında bir ara Fiji'yi bile geçtik.

Kimseyi uyandırmadan söyleyeyim; olay 1994 yılında oldu. Lillehammer'deki 17. Kış Olimpiyatına katılan tek kayakçımız Mithat Yıldırım, 88 kişinin katıldığı 10 km. klasik kayakta 32 dakika 34.8 saniye ile 87. oldu. Bu yarışta bizim sporcumuzu arkadan gören tek kişi Fiji adalarından Rusiate Rogoyawa olmuştu.

Bunu neden anlatıyorum derseniz, yabancılar farkında olmasalar bile bizim için hatırı sayılır bir gelişme olduğu için. Bundan önceki kış olimpiyatlarında durum şuydu: bizim kayakçılarımız yarış bittikten ve herkes otellerinde dinlenmeye çekildikten sonra varış noktasına ulaşıyorlardı. Hatta ulaşamayanlar bile oluyordu. Bazı sporcularımız uzun aramalar sonucunda bulunduğu için, sırf biz katılabiliriz diye, artık kış olimpiyatlarında 'sporcu arama ekipleri ' bulundurulmaya başlanmıştı.

Sporcumuz Mithat Yıldırım'ın başarısının küçümsenecek hiçbir tarafı yokken, bazı olumsuz düşünceliler bu başarıdan kuşkulanarak ansiklopedilerde Fiji maddesini arayıp buldular.

Ansiklopedilerde şu bilgiler veriliyordu:

' Fiji Cumhuriyeti, Büyük Okyanus'un güney kesiminde takımada ülke. Volkanik dağlarla kaplı, tropik iklim özelliklerine sahip. Yıllık ortalama sıcaklık 27 C. Bugüne kadar kar yağdığı görülmemiş. Ülkenin tek yüksek tepesi olan Viti Levu ise bir yanardağı...'

Anlaşılan Fiji'li kayakçı kış olimpiyatına bir yanardağda hazırlanmıştı..

Yanlış anlaşılmasın. Sporcumuzu küçümsüyor değilim.

Yanardağda neden kayılmasın?

Bunun tam tersi bizde olabiliyor. Örneğin bizim Doğu Anadolu'muz yılın 8 ayını karlar altında geçirdiği halde, oralarda kimse kaymayı bir spor olarak aklına bile getirmiyor.

Batıda Bursa ve Bolu civarındaki dağlarda kayak sporu adı altında yapılan sporlar da nedense spor sayfalarında değil, magazin sayfalarında yayınlanıyor.

'Ünlü dansözümüzü kayarken yakaladık ', 'Güzel şarkıcı kayarken ayağını incitti; kara bıyıklı kayak öğretmeni hastanede başından ayrılmadı' türü haberlerle.

Bizde niye kayakçı yetişmiyor, sorusunun akla gelmeyecek kadar yalın bir nedeni var: Durmadan kaymak gerekiyor, oysa biz bu dünyaya kaymaya gelmedik ki!..

Kayak hocalarımızın da işleri başlarından aşkın. Zavallıların Uludağ'da canları çıkıyor.

17. BÖLÜM

SAĞLIK FELSEFEMİZ 'ÖLEN ÖLÜR,
KALAN SAĞLAR BİZİMDİR' ŞEKLİNDEDİR.
BU BÖLÜM ONU ANLATIR.

Osmanlı döneminde topraklarımız üstünde 'sağlık' veya eski deyişle 'sıhhat' lafı sadece Kanuni Sultan Süleyman'ın (1494- 1566) 'Olmaya devlet cihanda, bir nefes sıhhat gibi' adlı mısrasında geçmektedir. Kısacası Türkiye Cumhuriyeti kurulmadan önceki sağlık sistemimiz 'Ölen ölür, kalan sağlar bizimdir ' felsefesine dayandırılmıştır.

Atatürk'ün 'Beni Türk hekimlerine emanet ediniz' lafının da Atatürk tarafından söylenip söylenmediği konusunda kuşkular vardır. Çünkü Atatürk'ün hastalığı sırasında Avrupa'dan birçok doktor çağrılmış ve tedavi genellikle yabancı doktorlar tarafından yürütülmüştür.

Böyle bir ortamda Ata'nın 'Beni Türk doktorlarına emanet ediniz' demesindeki kavram kargaşası hemen fark edilebileceği gibi, Atatürk'ün ağzından böyle bir sözün çıkmadığını söyleyen doktorlar da vardır.

Ancak bu hüzünlü öykünün, mizah yapıtı olma iddiasındaki bir kitapta pek yeri yoktur.

Sizin anlayacağımız sağlık durumumuz işin başından beri pek sağlıklı değildir.

Bilindiği gibi 'sağlık' insanın kendisini 'beden ve ruhsal açıdan iyi hissetmesi' halidir.

Dünya Sağlık Örgütü sağlıklı bir sağlık sistemi için asgari şartları şöyle saptamıştır:

-Herkesin sağlıklı olma hakkı vardır.

-Hastanın ödeme yeteneğine bakılmaksızın tedavisi yapılır.

-Hasta kendi doktorunu seçme hakkına sahiptir.

-Hasta hastalığı hakkında bilgi alma hakkına sahiptir.

-Her hasta yaşama hakkına sahiptir.

-Hasta maddi durumuna bakılmaksızın tedaviden yararlanma hakkına sahiptir.

-Tedavi konusunda şikâyetlerini iletme ve yanıt bekleme hakkı vardır.

Uluslararası hasta hakları aşağı yukarı bunlardır.

Gelelim bizdeki duruma... Bizde hasta hakları diye yazılı bir metin yoktur. Ben, aşağıda maddeler halinde sıraladığım hakları, hastanelerimizdeki uygulamaların basına yansıyan haberlerinden çıkardım.

-Her Türk vatandaşının hasta olma hakkı vardır.

-Hasta umduğu değil, bulduğu tedaviyi görür.

-Hasta istediği doktoru uzaktan görebilir.

-Parası varsa yakından da görebilir.

-Parasız hasta hastalığını bilmeli, her halta karışmamalıdır.

-Doktorlar her şeyi hastalardan daha iyi bilir.

-Ölüm Allah'ın emridir. Ecel geldiyse baş ağrısı ve doktor bahanedir.

-Parası olan düdüğü çalar. Parası olmayan rehin kalma hakkına sahiptir. (Yanlışlıkla içeri alınmışsa tabii)

-Ameliyat sırasında içerde unutulanlardan doktorlar ve hemşireler mesul değildir. Ameliyat sırasında kaybolan neşter, gazlı bez, makas ve diğer alet-edevatın parası hastaya fatura edilir.

- Hasta hasta olmamaya bakar. Eğer olmuşsa başının çaresine bakar.

Kısacası bizim sistemimizin felsefesi 'Öl, kurtul'dur.

Sistem ise çok basittir; zaten basitliği yüzünden başka ülkelerde kimsenin aklına gelmemektedir.

Sağlık sistemimiz hastalanıp tedavi ve bakıma muhtaç hale gelen sağlıksız unsurların (yani hastaların) sağlık sisteminin dışına çıkarılması esasına dayanmaktadır. Böylece sağlık sistemi içinde hiçbir hastanın kalmayacağı umulmaktadır.

Devlet, SSK, Bağ-Kur hastaneleri ile üniversite hastanelerine girmek mümkün olsa bile doktorun odasına girmek her babayiğitin harcı değildir.

Yine de 'tuttuğunu koparan' halkımızın, ne yapıp edip doktor odalarına kadar ulaştığı göz önüne alınarak düşünülen caydırıcı önlemler arasına son zamanlarda telefonla randevu alma sistemi de eklenmiştir.

Böylece doktor yanına girme olanağı aşağı yukarı tamamen ortadan kaldırılmış gibidir. Çünkü randevu alınacak telefon numarasından muayene saati yerine sadece şu bilgi alınabilmektedir: 'Kontenjan dolmuştur...'

İşte bu nedenlerle yolu zorunlu olarak özel hastanelere düşen hastalara, paraları tükenene kadar büyük bir ilgi ve titizlikle bakılmaktadır ki, zenginlerin bir türlü ecellerinin gelmemesi nedeniyle 'Acaba Türk sağlık sistemi bilim aşkıyla ölümsüzlüğün sırrını mı buldu?' kuşkularına yol açmaktadır.

Parası olmayanların özel hastanelere işinin düşmesi olası değildir, ama yanılıp başvuranlar

-Maşallah turp gibisiniz, bir şeyiniz yok! teşhisisiyle bir cenaze arabasına konularak evine gönderilmektedir..

Özelleştirme merakı içindeki yöneticilerimiz sayesinde birçok şey liberalleşmiştir. Geriye sadece liberalleşmeleri gereken iş adamlarımız kalmıştır. Onlar devletçilik yöntemlerine hâlâ sıkı sıkıya bağlılar. Başları sıkıştığında 'kurtarılmak' için devlete sığınıyorlar.

İşte bu arada sağlık hizmetleri de liberalleşme yoluna girmiştir.

Hasta vatandaş artık seçme şansı olduğundan TV reklamlarından adını duyup, fıstık hemşirelerine kesildiği 'Fingernational Hospital'e başvurur. Çünkü bu hastanenin reklamlarında hemşire rolünde İngiltere'den özel olarak getirilen 90-60-90 ölçülerinde manken kızlar oynatılmıştır.

Ancak hasta hastaneye başvurduğunda manken kızlar çoktan ülkelerine dönmüş olup, onların yerinde bizim hemşerilerimiz çalışmaktadır ki, ölçüleri 190-160-190 civarındadır. Bunlar tarafından karşılanan hastamız bir–iki jiu jitsu ve karate numarası ile sedyeye yatırılır. Bu arada belki hasta değildir, kendini öyle sanıyordur diye, her olasılığa karşı birkaç kaburga kemiği kırılarak iş sağlama alınır.

Hastaya önce 'kaçıncı sırada muayene olmak istediği' sorulur.

Bu da sorulur mu? Elbette her hastanın eğilimi ilk sırada muayene olmak yani sıra beklememektir. Ne var ki, ilk sıraların fiyatları biraz pahalıdır. Pazarlık sonunda bazen hastamız önerilen son sıra fiyatını bile yüksek bulabilir.

Bunun üzerine hastane görevlisi tarafından müşteriye (pardon hastaya) 'mevsim sonu indirimli' muayene önerilir.. Hastanın gözlerinde bir umut ışığı yanar. O zaman yüzde 50 daha ucuza muayene olabilecektir çünkü. Ne var ki, ışık bir süre sonra söner. Çünkü muayene adı üstünde 'mevsim sonunda' yapılacaktır.

Sonunda hastamız istenen parayı ödeyemeyeceğini anlayınca şansını başka bir hastanede denemeye karar verir.

Az gider, uz gider karşısına bir değil, birçok hastane çıkar. Hangisine girsem diye düşünürken iki adam ayrı ayrı kollarına girer. Serbest piyasanın kuralları işlemeye başlamıştır.

-Hastane lazım mi abi?

Veya

-Doktor lazım mı abla? diye bağrışan iki adam hastayı kendi çalıştıkları hastaneye götürmek istemektedir.

Tam rekabet tam kavgaya dönüşecekken, vatandaş bir yolunu bulup fiyatları sorar, her iki görevli hemen hesap makinelerini çıkararak günlük döviz kuru üzerinden muayene ücretlerini hesaplayıp hastaya efektif olarak bildirirler.

Başka çaresi kalmayan hasta bunlardan birini kabul eder.

Muayene odasında doktor önce hastanın kollarını kaldırtarak, ceket üzerinden ilk muayeneyi yapar. Cüzdanı burada bulamamışsa, stetoskobunu takarak arka cebini de gözden geçirir. Cüzdanının kabarıklığını ölçtükten sonra hastaya 'soyunun' 'komutunu verir.

Doktor yapacağı ameliyatın ücretini, yoğun bakımda geçireceği günlerin maliyetini ve normal oda fiyatlarını açıkladıkça hastadan aldığı tepkilerle teşhisini koyar.

Hasta duyduğu fiyatlar karşısında aşırı tepkiler göstermiş, gözleri yuvalarından fırlamışsa, belli ki fazla parası yoktur. Ve doktorun açıkladığı rakamları duydukça kalp krizi geçirme riski içine girmektedir.

Allahtan yanında bir doktor bulunmaktadır. Parayı almadan hiçbir yere -özellikle öteki dünyaya- gitmemesi için ilk yardımda bulunur ve hastayı eski sağlıksız durumuna döndürür.

Uzatmayayım, hasta sonunda Kadıköy Belediyesi'nin başlattığı ucuz halk sağlığı salı pazarında salı günü kuyruğa girerek bir veterinere muayene olur ve kendisine yapılan kuduz aşısından sonra evinin yolunu tutar.

Belki hastalığını iyileştirememiştir, ama uzun yıllar için kuduz hastalığına yakalanma tehlikesinden kurtulmuştur.

İşi biraz abartmış olabilirim. Ama sağlık hizmetlerimiz gerçekten biraz abartılıdır.

Yukardan beri saydıklarıma karşılık, en çağdaş ülkelerde bile henüz uygulanmasına izin verilmeyen ötanazi (rahat ölüm) seçeneği bizim ülkemize çoktan girmiş ve rahatça uygulanmaktadır.

İsterseniz ne demek istediğimi birkaç örnekle anlatayım.

Eğer arada sırada evinizden çıkıyorsanız, trafik kazasında bir arabaya çarpma şansınız Milli Piyango'da büyük ikramiye çarpma şansından daha fazla olup, neredeyse amorti çarpma şansına yakındır. 60-70 milyonluk nüfusta yılda 6-7 bine ulaşan ölü sayısı, sürücülerimizin her vatandaşa 10 binde bir oranında ölme seçeneği sunduğunun en canlı ve kanlı kanıtıdır.

Veya tutucu bir çevrede yetişmişseniz ve kadınsanız, önce babanız ve ağabeyiniz, onlardan kurtulup evlendiyseniz kocanız size her an 'namus uğruna ölme seçeneği ' sunabilir.

Bu özel durumlara sahip olmasanız bile, eğer büyük kentlerde yaşıyorsanız belediyelerimiz aşağıdaki ölme seçeneklerinden birini emrinize hazır bulunduracaktır.

Hava kirliliği yüzünden koma, malzemeden çalınmış binanın altında kalma, içi su dolu çukurlardan birine düşme, sel sularında boğulma veya başına inşaat demiri düşmesi, sağlıksız ortamlarda hazırlanmış ve kokuşmuş gıdalardan zehirlenme.

18. BÖLÜM

NE KADAR SAYARSANIZ SAYIN, GERİYE
BAZI ÖZELLİKLERİMİZ KALIR.
BU BÖLÜM GERİYE KALANLARI ANLATIR.

Millet olarak birçok özelliğimiz var ve elbette bunların çoğu bütün insanların ortak özellikleridir. Fakat salt bize özgü bazı özellikler de yok değil.. Bilhassa şu özelliklerimiz çok tanınmış ve yabancı ansiklopedilere kadar girmiştir:

'Türk gibi kuvvetli.'

Kol kuvvetinin önemi bütün dünyada biraz azaldı, ama geçmişte önemli sayıldığı çağlarda öne çıkarılan bu özelliğimizin adı hâlâ geçiyor. Son zamanlarda haltercilerimiz Naim Süleymanoğlu ve Halil Mutlu bunu bütün dünyaya yeniden kanıtladılar.

- 'Türk gibi sigara içer...'
- Ona da hiç kimsenin kuşkusu yok zaten. Daha önce anlattım.
- Ve 'Türkler tükürür.'
- Neden tükürürüz, bilen yok. İnsanın doğal yapısında böyle bir gereksinme olsa, her yerde görülmesi gerekir. Oysa birçok geri kalmış ülkede bile görülmeyen bu davranış biçimi sanırım sadece bizlere özgü.
- 'Mangal ve orman yakarız.'

Açık havada yemek denilince Türkler'in aklına gelen mangal yakmaktır. Mangal en iyi nerede yakılır? Yine bizim inancımıza göre ormanlık alanda..

Her Türk erkeği potansiyel bir mangal yakıcısıdır. Evinde 364 gün boyunca mutfağa girmeyen, ateşe, tencereye, sofraya elini sürmeyen 'evin beyi' kendini kırsal alanda bulunca 'mangal yakma sevdalısı' kesilir.

Ateşle oynamaya başlar.

Her mangal yakışı başarı ile sonuçlanmasa bile, her mangal yakma girişiminin sonunda orman yangını çıkması garanti gibidir.

Dünyada henüz mangal yangını uzmanı yetişmemiştir. Ancak bu gidişle ülkemizde yetişecek gibi görünmektedir. Şöyle konuşmalar duyacağımız günler yakındır:

-Oğlunuz nerede okuyor?

-Mangal Yangınları Fakültesinde. Mezun olunca anız yakma üzerine doktora yapacak.

Bir neden daha vardır ki, bir tür ruh hastalığıdır:

'Piromani' veya 'Yangın çıkarma eğilimi.. '

Bu tür ruhsal bozukluğa sahip olanlar yangın çıkarıp idrarlarıyla söndürmek suretiyle rahatlarlar. Ancak sıvı miktarı yeterli olmayınca ormanı yakarlar.

İşin içinde akıl hastalığı olunca

-O kadar suyla ve o kadar kısa hortumla yangın sönmez... diye akıl vermek de işe yaramaz.

■ 'Telefonla konuşuruz..'

Son zamanlarda özelliklerimiz arasına giren bir yenilik de cep telefonlarıdır. Bugün bir Türk erkeği 'esmer, bıyıklı, orta boylu ve eli ile kulağı arasında cep telefonu bulunan bir kişi' olarak tanımlanabilir.

Türkler'in zamanı iyi değerlendirmek gibi bir başka özellikleri de dikkati çeker.

Zaman yitirildiği konusundaki tüm itirazlar 'Ananın karnında dokuz ay on gün nasıl bekledin?' şeklindeki gerekçeyle açıklanır. Ve dünyaya gelmeden önce bu kadar beklemiş kişilerden daha sonra da aynı sabır beklenir.

Bir devlet dairesine işiniz düşerse memurların da son derece dakik oldukları görülecektir. Hiçbirinin işe, işbaşı saatinden bir dakika önce bile başladığı görülmemiştir.

Bir çoğu işe başlama saati konusundaki bu titizliklerini gün boyu sürdürürler. Paydos saatinde ise çalışma sona ermiştir. Ertesi gün bir rastlantı sonucu ulusal bayramlarımızdan birine rastgelmiyorsa; işi olanlar şanslarını yeniden deneyebilirler.

■ Son bir özelliğimizi daha eklemeden geçersem, konuyu eksik bırakmış olurum.

'Kavga etmeyi hiç sevmeyiz': Sorunlar genellikle tatlılıkla çözümlenmeye çalışılır ülkemizde. Biz ancak kafamız bozulduğu zaman kavga çıkarırız. Kafamızın bozulması için ise öyle olur olmaz bir neden yeterli değildir. Önemli nedenlerle kafamız bozulabilir.

Örneğin birisi bize yan gözle, düz gözle, hatta arkadan bile baksa kafamız bozulur.

Bunun dışında salt bize değil, yanımızdaki kadına da bakıldığı zaman çok fena bozuluruz. Eğer yanımızda bir kadın yoksa, o zaman komşumuzun karısına, kızına bakıldığı zaman tepemiz atar.

Yakın komşularımız arasında kadın-kız yoksa, o zaman diğer mahallelerdeki kadınlara bakıldığı zaman sinirleniriz. Hatta bizi herhangi bir erkeğin, herhangi bir kadına bakması bile sinirlendirir.

Namus meselesi dışında kafamızı bozan tek şey para konularıdır, ama yanlış anlaşılmasın: biz para için asla kavga etmeyiz. Kafamız bozulduğu için kavga ederiz. Bunu da kanıtlayan husus, hiçbir işe yaramayacak kadar küçük paralar için bile kavga çıkarabilmemizdir.

Gerçekten paranın bizim için hiçbir önemi yoktur, ancak en önemsiz para miktarları bile kafamızı bozabildiği için önemlidir.

Yabancılar bizi sık sık agresiflikle, hatta barbarlıkla suçlayarak haksızlık ediyorlar. İşte bu türden haksız suçlamalar da bizim kafamızı bozar ve bizi barbarlıkla suçlayan adamı çeker vururuz.

İKLİMİMİZ BİLE KENDİNE ÖZGÜDÜR, ONU ANLATIR.

Ülkemizin iklimi için söylenecek en doğru söz dört mevsimin hem ayrı ayrı, hem bir arada yaşandığıdır.

Her mevsimin bir cefası ve bir de sefası vardır. Bunlar da bizde hem ayrı ayrı, hem bir arada yaşanır.

Yazları sıcak olur. Sıcaktan millet nerede denize gireceğini şaşırır. Çünkü bütün mevsimler boyunca lağım suyunu denizlere boşaltmıştır. Allahtan denize kıyısı olan belediyelerin çok becerikli atıksu sorumluları vardır. Onlar denize boşalttıkları atık suların denizin neresinde toplandığını saptayıp, vatandaşa bildirirler. Vatandaşlar da o noktalardan denize girmezler, temiz olan bölgeleri yeğlerler.

Elbette bu işin gerçekleşebilmesi için, atık sular içinde denize dökülen koli basillerinin de bayağı akıllı-uslu olması ve belediyenin kendilerine ayırmış olduğu alanların dışına çıkmamaları gerekmektedir.

İlkbahar ve sonbahar yağmur mevsimidir malum. Yağmurlar doğası gereği çukurlara doğru akma eğilimindedir. Ve bütün dünyada olduğu gibi, elbette Türkiye'nin de en çukur yerleri dereleri, nehirleri ve denizleridir. Fakat kent yöneticileri, kentin içinde daha çukur bölgeler inşasına izin verirler veya kendileri yaratırlar. Sular doğaları gereği buraları da doldururlar.

Kış kar mevsimidir; kar yağdığı zaman ülkenin kar yağmamış halinin kıymeti anlaşılır. O güne kadar hava kirliliğinden, yollardaki çukurlardan, trafikten, kalabalıktan, pislik, çamur, toz ve gürültüden yakınanlar, kar yağdığı zaman aslında o kadar kötü koşullarda yaşamadıklarını anlarlar ve 'beterin beteri varmış' diye düşünürler.

Özellikle İstanbul'da kar yağdığı zaman tam bir felaket yaşanır. Bugüne kadar ne güney, ne kuzey kutbuna ulaşan bir tek Türk olmadığı halde, kar yağdığı zaman her Türk vatandaşı kutupları keşfeden yabancıların tam kutup noktasına ayak basarlarken neler hissetmiş olacaklarını anlarlar.

'Dünyada her şeye çare bulunur' denirse de, bu söz biraz yanlıştır. Örneğin ülkemizde kar yağışına çare bulunamamıştır.

TÜRKLER UZAYA ÇIKTI MI, ÇIKMADI MI, ONU ANLATIR...

Türkler uzun süre 'eller aya, bizler yaya ' şeklinde hayıflandıktan sonra harekete geçmeye karar verdiler.

Şu andaki sloganımız:

'Eller aya, bizler el uydusuyla uzaya' şeklinde...

Bizim uzaya sadece yerden baktığımız sanılırsa da, o kadar uzun boylu değildir. Uzay konularına UFO gören vatandaşların çokluğu nedeniyle fazla uzak sayılmayız. Köylülerimiz sık sık uzaylı kovalarlar, bulurlarsa taşlarlar; hatta gazete sayfalarına kadar yansıyan bir söylentiye göre bir köylümüz uzay aracından inip tarlasında dolaşan bir uzaylıyla temasa bile (cinsel açıdan) geçmiştir. Herhalde bu yöntemlerle uzaylıları kaçırdık ki, artık gelmiyorlar.

Biz de uzaya gitmiyoruz zaten, fakat uzayla hiçbir ilişkimiz olmadığı sanılmasın. Şu anda dünya çevresindeki uzayda 3 adet uydumuz dolaşıyor. Üçü de fransız yapımı. Üzerlerinde Türk bayrakları var ve gövdelerindeki 'TÜRKSAT' yazısı ile her Türk gurur duyuyor.

Gururlanmamızın nedeni şu:

Uyduların yapım paraları Dünya Bankası ve IMF'den borç alındı; Fransa'da Fransızlar tarafından yapıldı ve Güney Amerika'dan uzaya fırlatıldı. Bunu şimdiye kadar hiçbir ulus başaramadı.

Olayı önce 'Rahmetli' bir politikacımız düşünmüştü. Zaten gece gündüz memleketi düşünürdü. O sırada oğlu yasadışı bir televizyon kuruluşuna ortak olmuştu. Çünkü babası gibi o da durmadan memleketi düşünüyordu.

Baba-oğulun gece-gündüz düşündükleri bir başka durum ise şuydu:

Oğulun ortak olduğu TV kanalı yasadışı olduğu için yurt içinden yayın yapamıyordu. Rahmetli'nin ise yasadışı durumlara tahammülü yoktu. Filmleri Türkiye'de çek, kasetleri Almanya'ya gönder, oradan Türkiye'ye yayın yap, gavura dünyanın uydu parasını öde...

Gerçi ödenen paralar babasının parası değildi, hatta kendi parası bile değildi, ama bu memleket meselesinin de bir an önce çözülmesi gerekiyordu.

İşte Rahmetli memleketin parası dışarı gitmesin diye ortaya şöyle bir fikir atmıştı:

Uzaya bir Türk uydusu fırlatmak..

Ancak ömrü yetmedi. Bir gün koşu bandında memleketi düşünürken Hak'kın rahmetine kavuştu. Yerine yine memleketi düşünen, o yüzden yatırımlarını ABD'de yapan bir başbakan geçince iş aksamadı.

Hatta ilk fırlatılan Türksat I uydusunun ne kadar Türkler'e mahsus olduğunu göstermek için üzerine Atatürk'ün ' İstikbal Göklerdedir' yazısı bile yazılmıştı. Fakat Fransızca'da 'ö' harfi bulunmadığı için bu söz 'İstikbal Goklerdedir' şeklinde yazılmıştı. Bu uydu Okyanus'a düştüğü ve Ata'nın ünlü vecizesinin derin sularda bir anlam ifade etmediği görülünce, arkadan fırlatılanlara aynı yazı konulmadı.

Allah kendisinden razı olsun, ünlü komedyenimiz Cem Yılmaz elinden geleni ardına koymadı ve büyük bir başarıyla kotardığı 'G.O.R.A' filminde bizlere en azından hayali bir uzay macerası yaşattı.

Bütün bunlar olurken 2001 yılında Uşaklı 3 köylü tarlada bir uzaylı gördüklerini iddia ettiler ve bu haber o günlerin gazetelerinde yayınlandı. Üçü de ağız birliği etmişçesine uzaylıyı şöyle tarif ettiler:

-Altmış-yetmiş santim boyunda, parlak jelatin giysili, göbeği sarı renkli, ayakları kırmızı ışıklı, başı elips şeklinde ve gözleri olan canlı taş atılınca hızla uzaklaştı.

Eğer görülen canlı gerçekten uzaylı ise, o zaman işin bir de öbür yanı var demekti. Uzaylı da aracına döndükten sonra gördüklerini anlatmış ve bazı tanımlar vermiş olabilirdi.

Olaya bir de bu açıdan bakmakta ve bizi nasıl tanımladıklarını düşlemekte yarar var.

Gemi komutanı Uşak'ta görülen uzaylıyı sorguya çekiyor:

-Eee, Dünya'da neler gördün bakalım Nrubetimi? (Uzaylının adı bu olsun)

-Dünyanın neresine indiğimi bilmiyorum efendim. Güneş batmıştı, karanlıkta konutların pencerelerinden baktık. Herkes renkli bir camın karşısına geçmiş gözlerini kırpmadan bakıyordu.

-Neye bakıyorlardı?

-Hiçbir fikrim yok. Camda saçları havaya dikilmiş, gözlerine yuvarlak halkalar geçirmiş bir canlı vardı. Duyduğum sesleri kaydettim. (uzaylının ses kayıt cihazından 'Biraz yardımcı olun Memedali bey..' sesi yükselir.)

-Ne oluyordu dersin?

-Bir tür meditasyona benziyordu. Bir süre sonra renkli camdaki ışık kayboldu. Herkes bir yere uzandı.

-Sonra?

-Güneş doğunca hep birlikte kalkarak dışarıya çıktılar. Bir kısmı hızla giden kutulara binerek ellerindeki bez parçalarını sallamaya başladılar. Diğerleri yürüyor, koşuyor ve bağırıyorlardı.

-Ne yapıyorlardı yani?

-Bilmiyorum, ama yine seslerini kaydettim (cihazdan 'Yaşşa-aa Fenerbahçeee' sesleri yükselir) İşte böyle bağırıyorlardı. Bazıları da büyük ve yeşil bir arazide bir yuvarlak cismin peşinden koşuyorlardı.

-Bir fizik deneyi olmasın.

-Olabilir. Yuvarlak cisim iki direğin arasından geçince çok seviniyorlardı.

-Seni gören oldu mu?

-Kalabalık yerlere yaklaşmadığım için gören olmadı. Ancak boş bir araziden numune almak isterken karşıma üç dünyalı çıktı.

-Konuştunuz mu?

-Konuşamadık. Aralarında şu sesleri çıkardılar:

-(Cihazdan) Ula, bak galatasaraylılar bizim tarlaya kadar gelmişler...

-Ne gassarayı lan, uzaylı bunlar.... dediler ve üstüme yürüdüler.

-Sen ne yaptın?

-Bildiğim bütün dilleri göğsümdeki ışıklı levhada gösterdim. Onlar da bana sert cisimler fırlatarak cevap verdiler.

-Böyle mi anlaşıyorlardı dersin?.

-Belki, ama ben kaç taş atılması gerektiğini bilmediğim için yanlış bir şey söylerim diye oradan uzaklaştım.

TÜRKLER İNTERNET'E NASIL GİRDİLER; 'AĞLAR ARASI'NA GİRMEK İSTERKEN NEDEN AĞLARA DOLAŞTIRDILAR, ONU ANLATIR.

Her insanın olduğu gibi Türkler'in de iki temel içgüdüsü vardır. Malum, bunların ilki yemek-içmek, ikincisi üremek... İnternet ortaya çıktıktan sonra bizim içimizde üçüncü bir temel içgüdünün daha olduğu anlaşıldı: İnternet..

İlk çıktığı günlerde bu özelliğimiz hemen anlaşılamadı. İnternet dünyanın bilgisini insanın önüne yığıyordu. Bilgi arayan bir insan için internetten iyisi yoktu. Ancak milletimizin bilgi açlığı içinde yaşadığı pek söylenemezdi. Belki yiyecek-içecek açlığı veya seks açlığı olabilirdi, ama bilgi..şimdilik bir kenarda dursundu..

Fakat sonunda internetin her iki temel içgüdüyü de doyurabilen bir kaynak olduğu anlaşıldı.

Örneğin internete girilerek birçok kişinin banka bilgilerine ulaşılabiliyor, bankalardan, satışlardan ve olmayan organizasyonlardan paralar kazanılabiliyordu.

Çet (chat) odalarında ise pekâlâ sanal seks yapılabiliyordu. Sanal seksin güzelliği şuradaydı ki, çocuk üretimine yol açmıyordu. Tersine sanal sekse ağırlık veren gençliğimiz sayesinde son yıllarda nüfus artış hızımızda bir miktar azalma bile olmuştu.

Peki nasıl olmuştu da biz bilgisayar, internet ve sanal sekse bu kadar çabuk uyum sağlamıştık.

Çünkü önceden 'sanal beslenme' konusunda deneyimimiz vardı. Özellikle dar gelirli vatandaşlarımız arasında yaygın bu yöntemde gerçek beslenmenin temeli sayılan et, süt, tereyağı, sebze, meyva gibi protein ve vitamin kaynakları yerine salt karbonhidrat içeren ekmek, makarna, pilav üçlüsüne ağırlık veriyorduk.

Dolayısıyla sanal beslenmeden sanal sekse geçiş başka uluslara göre daha kolay oldu. Tabii bu şekilde seks yapmanın bazı sakıncaları da var. Ekranda karşınıza kimin çıktığı belli değil. Hoş bir hatunla görüştüğünüzü sandığınız sırada, ekranın öbür ucunda 150 kilo civarında bir 'cins-i latif' bulunabiliyor..

Daha kötüsü karşınızda 'kadın rolü' yapan bir erkek bile olabiliyor. Ya da kadınsanız karşınızdaki hemcinsiniz olabiliyor.

İyi tarafı da yok değil: Sanal seks yaparsanız, cinsel hastalıklar yerine bazı ruhsal hastalıklara yakanabiliyorsunuz. Bilindiği gibi gerçek sekste çok daha vahim hastalıklar söz konusu..

YURT DIŞINDAKİ TÜRKLER'İN ÖZELLİKLERİNİ ANLATIR.

Türkler bir kere Boğaz'ı geçip karşı kıyıya ulaştıktan sonra dünyaya yayıldılar. 'Türkün topalını Çin'de görmüşler...' sözü Osmanlı döneminden kalmadır. Bu gezintiler sırasında herhangi bir coğrafi keşif yapamadılar, ama birçok keşfin yapılmasını

NE MUTLU THE TÜRKÜM DİYENE

sağladılar. Bunların başında okyanusların ve Amerika kıtasının keşfi, pusulanın icadı, dünyanın çevresinin dolaşılması ve dünyanın yuvarlak olduğunun anlaşılması gelir.

Bütün bunları biz bulmadıysak bile, bulunmasına neden olduğumuza hiç kuşku yok..

Akdenizi kasıp kavuran Osmanlı donanması yüzünden Portekizli ve İspanyol gemicilerin, o tarihlerde Avrupa'da çok para getiren baharata kavuşmak için Hindistan'a gitmek isterken okyanusa açıldıkları ve yanlışlıkla Amerika kıtasını buldukları, aynı zamanda çevresini dolaştıkları dünyanın yuvarlak olduğunu kanıtladıkları hem tarih, hem de bilim kitaplarında anlatılmaktadır. Bu arada pusulayı da icat etmek zorunda kaldılar ve açık denizlerde dolaşmayı başardılar.

Türkler ise daha Osmanlı döneminde Avusturya sınırlarına ve Viyana kapılarına kadar dayandılarsa da, Almanya'ya ulaşmaları birkaç asır aldı. Şu anda 3,5 milyon Türk'ün yaşadığı Almanya'da durum şöyle:

Türkler Almanya'da yeni bir Türkiye yarattılar ve orada yaşıyorlar.

Boğaziçi Restoran'da kebab yiyip, rakı içiyor, İstanbul gazinosunda Bülent Ersoy veya İbrahim Tatlıses'i dinliyor, Meserret kıraathanesinde nargile tüttürürken tavla veya pişti oynuyorlar. Oralarda yaşayan bir Türk işçisine gazeteciler sormuşlar:

-Almanya'yı nasıl buldun?diye.

-Valla, daha görmek kısmet olmadı kardeş... demiş.

Bu durum almanları da etkiliyor. Örneğin bize bakarak almancanın en sık kullanılan sözcükleri olan 'bitteschön-lütfen' ve 'dankeschön-teşekkür ederim'i artık unuttular.

Hatta şakayla karışık bu sözcüklerin ne anlama geldiğini merak eden Almanlar bile çıkıyor.

Bizim Almanlarla olan ilişkilerimize gelince aşağıdaki anekdot anlatılıyor:

Ahmet ile Mehmet Frankfurt'tan Köln'e gitmek için trene binerler. Ancak ellerinde sadece bir bilet vardır. Kompartıman komşuları Hans ile Müller, kondöktörün yaklaşmakta olduğunu fark eden Ahmet ile Mehmet'in koşarak tuvalete girdiklerini görünce merakla olayı izlerler. Biraz sonra tuvalet kapısını tıklatan kondöktör, kapının altından uzatılan bileti kontrol edip, geri verir. Böylece iki Türk tek biletle yolculuklarını tamamlarlar.

Dönüş yolunda Hans ile Müller ve Ahmet ile Mehmet rastlantı sonucu yine aynı kompartımana düşerler. Bu kez iki Almanda tek bilet vardır. Ahmet ile Mehmet'in ise hiç bileti yoktur. Kondöktörün yaklaştığını duyunca iki Alman tuvalete kapanırlar. Arkalarından gelen Ahmet ile Mehmet tuvalet kapısını çalarlar. Kapı altından uzatılan bileti alan iki arkadaş hemen yandaki tuvalete koşarlar ve kondöktör kapıyı çaldığında Almanların biletiyle kontrolü atlatırlar.

KAFAMA TAKILAN DİĞER HUSUSLARI ANLATIR.

Geçmişte neler yaşandığını ve bunların zamanımızı nasıl etkilediğini uzun uzadıya araştırmaya çalıştım. Kitabın sonuna yaklaşırken yine de yanıtlarını tam olarak bulamadığım için kafama takılan bazı hususlar var... İşte bunlardan birkaçı:

Üçüncü sınıf vurdulu-kırdılı bir yabancı film seyrediyoruz. Varsayalım, adam bankayı soymuş kaçıyor. Peşinde silahlı korumalar veya polisler var. Soyguncu arabasını çalıştırmadan önce emniyet kemerini takıyor. Yola çıkmadan önce de sinyalle işaret veriyor. Bir insana bu ölçüde kurallara uyma refleksi kazandırılabilir mi? Kazandırılabilirse biz niye kazandıramıyoruz?

Yine bir yabancı filmdeyiz. Adam sokakta bulunan kanalizasyon kapaklarından birini açıp içeri giriyor. Allah Allah... Kentin altında bir kent daha var. Tünellerde istersen kamyonla dolaş, istersen vapurla... Bu kararı kim alır, kim uygular? Nasıl olur da o tünelleri yaptıran belediye başkanı:

-Yerin altına saray gibi kanalizasyon tesisi yapacaksın da ne olacak birader? Halk bu tesisten en erken 10 yıl sonra yararlanabilecek. Oysa ben 4-5 yıl sonra bu makamda olmayacağım. Milletin de kanalizasyon kapağını kaldırıp altına bakacak hali yok. En iyisi belediye başkanlığım sırasında keyfime bakayım, dalgamı geçeyim. Elimdeki paralarla kaldırımları bozup yaptırıp halkın gözünü boyayayım... demez.

Veya televizyonu açıyorsunuz, bir film oynuyor. Henüz bir kare görüyorsunuz ve iki sözcük duyuyorsunuz. Anında Türk filmi olduğunu anlıyorsunuz. İki sözcüğe ve tek kareye İSO 9000'den beter Türk standartını nasıl sığdırıyoruz ve diğer alanların hiçbirinde neden hiçbir standartı tutturamıyoruz.

Genelde TRT-2 de gösterilen 50-60 yıllık filmlerde, adamların tek sözcüğü değişmemiş dillerini, bizim neredeyse alt yazı ile oynatacağımız eski filmlerimizle karşılaştırmak da epey kafa karıştırıcıdır.

Şu olaylar da kafama sık sık takılır:

Davaların on yıllarca sürmesi, acil ameliyata bir yıl sonraya gün verilmesi, ithal sporcu ile madalya kazanılması ve hastanede rehin kalınması...

Neden bütün sanıklar önce suçunu itiraf eder, sonra inkâr ederler ve neden tüm mahkûmlar işledikleri suç sorulduğunda 'Ben masumum' derler. Yoksa adalet masumları mı cezalandırıyor?

IMF'nin kurallarına uygun davranabiliyorsak, neden kendi kurallarımıza uygun davranamıyoruz?

Neden aklına esen deprem olacak diyor da, deprem olursa ne olacağı kimsenin aklına gelmiyor?

KAF DAĞI'NIN ARDINDA NELER VAR, ONLARI ANLATIR.

'Deprem' lafı geçince ayrı bir bölüm ayırmanın zamanı geldi demektir.

Neredeyse dünya kuruldu kurulalı Anadolu'nun kuzeyinden geçen bir fay hattı (Kuzey Anadolu Fayı -KAF) Milattan 1999 yıl sonra İstanbul'a yakın sayılabilecek bir uzaklıkta kırılınca deprem gerçeği ile karşı karşıya kalmış olduk.

Sorun şuydu: İstanbul'da da deprem olacak mı? Olacaksa kaç şiddetinde olacak? Ve deprem olunca halimiz ne olacak?'

Anlaşıldı ki, sismoloji biliminin kurulmasından ve Richter adlı Amerikalı'nın deprem şiddetini ölçmeye başlamasından beri bilinen KAF'ı, biz hâlâ masallardaki Kaf Dağı sanıyor ve ciddiye almıyorduk.

1999 depremleri ile elinizde tuttuğunuz kitabın yazıldığı yıllar arasında geçen zamanda bazı soruların cevapları arandı.

Peki bulundu mu?

Hem de aradığımızdan çok.. Yalnız iyi ve kötü haberler bir aradaydı... Şöyle ki:

İyi haber: Fayın sırrı çözüldü.

Kötü haber: Ancak fayın sırrının çözülmesi için çalışmalar hâlâ sürüyor.

İyi haber: Fay iki kollu.

Kötü haber: Ama tek parçalı.

İyi haber: Deprem olacak.

Kötü haber: Belki de iki deprem olacak.

Daha kötü haber: İki kollu fay tek parça halinde kırılırsa daha da kötü olacak.

İyi haber: Fay iki parça halinde kırılırsa 7 şiddetinde iki deprem olabilir.

Kötü haber: Tek parça halinde kırılırsa başınızın çaresine bakın.

Daha kötü haber: İki parça halinde kırılırsa da başınızın çaresine bakın.

Daha daha kötü haber: Depremden sağ kurtulsanız bile başınızın çaresine bakın.

En kötü haber: Eğer İstanbul'da yaşıyorsanız, deprem olmasa bile başınızın çaresine bakın.

İyi haber: Fay hem tek parçalı, hem iki parçalı olarak kırılabilir, ama buna imkân yok.

Daha iyi haber: Marmara denizinde deprem olursa Ankara'ya bir şey olmayacak.

En iyisi: Allah daha kötüsünden saklasın!

Ben bilimsel sonuçlara bakarak yine de seviniyorum.

Hiç olmazsa neler olacağını anlamış olduk.

İki parçalı tek fayın ortaya çıkardığı iki sonuçlu tek gerçek karşısında hepimiz rahat rahat uyuyabiliriz artık.

Çünkü deprem konusunda her şeyi biliyoruz ; sadece deprem olacak mı, olacaksa nerede, ne şiddette ve ne zaman olacağını bilmiyoruz.

Böylece moda deyişle ve sismologların önerisiyle 'depremle yaşamaya' alışıyoruz.

Nasıl olacak depremle yaşamak!

İlk bakışta bu sözlerin, herkesin evini, barkını düzene sokması, dayanıklı olmayan evlerin dayanıklı hale getirilmesi anlamına geldiği sanılıyor.

Ancak bunun gerçekleşmesi söylendiği kadar kolay değil.

Evlerin dayanıklılığını kim kontrol edecek?

Dayanıklı olmadıkları saptananları kim dayanıklı hale getirecek?

Yeni evler yapılırken 'depreme dayanıklı' yapılıp yapılmadıkları nasıl ve kim tarafından denetlenecek?

Kadrolar bulunsa bile (ki yok) harcanacak paralar nasıl karşılanacak?

Sanırım daha ucuz bir çözüm var: depremin ta kendisi.

Depremden bu yana uzun zaman geçti. Yapılanlara bakılırsa en ucuz çözüm saptandı ve uygulamaya konuldu:

'Deprem olur, yıkılan yıkılır, kalan binalar sağlam olur.'

Böylece hem bir kuruş harcanmamış olur, hem de vatandaş depremle yaşamaya alışmış olur. Bundan sonra ev yapacak veya alacak olursa evinin depreme dayanıklı olup olmadığını 'sıkı sıkı' kontrol eder.

Depremzedelere gönderilecek yardımlar ise nasıl olsa yabancı ülkeler tarafından gönderilir.

BAŞKALARI BİZİ NASIL GÖRÜYOR, ONU ANLATIR.

Buraya kadar bizim kendi kendimizi nasıl gördüğümüzü anlattım. Elimde bizim hakkımızda yabancı ülkelerde yapılmış çeşitli araştırmaların sonuçları da var. Tümünü yayınlamaya bu kitabın boyutları yetmez. Ayrıca yayınlamak işime de gelmez. Okuyucularımın moralini bozmak istemem. Şu kadarını söyleyebilirim ki, yabancılar bizi bizim sandığımız kadar çok beğenmiyorlar.

Az-çok beğeniyorlar demek de zor.

Hatta az beğeniyorlar demek bile gerçeğin tam ifadesi olmaz.

Bizim hiç mi güzel bir tarafımızı bulamamışlar derseniz, o kadar da değil.. Bir güzelliğimizi bulmuşlar:

- Antipati güzelliği...

Fransa'da SOFRES adında bir firma var. Kısa süre önce yaptığı (2003'de) 'Ülkelerin İmajı' konulu araştırmasında bizi Irak, İran, Libya, Cezayir ve Suriye'nin bile gerisinde bırakarak 'En Antipatik Ülke' seçmişti.

Süha Arın adlı bir araştırmacımız tarafından Amerikalılar arasında yapılan ve bu kez iç görünüşümüzü yansıtan araştırmada ise bize uygun görülen vasıflar arasında olumlu bir tek özelliğimiz dahi yoktu. Moraliniz bozulmasın diye araştırmanın tamamını buraya almıyorum.

UNICEF ise 2002 yılında bizi ele almış, sanki hepimizi ölçüp biçip tartmış gibi şu sonuca varmıştı:

'Türkiye'de yetersiz beslenme nedeniyle insanlar genellikle kısa boylu, zayıf ve esmer...

'Kara-kuru' demenin ingilizcesi bu olsa gerek...

Allahtan, hepsi bu kadar değil. Birkaç yıl önce Samsun'da yapılan Türk Kurultayı'nda dış görünüşümüz şöyle tanımlanmıştı:

"Türkler beyaz tenli, koyu parlak gözlü, değirmi (ay) yüzlü, endamlı, sağlam yapılı erkek ve kadınları ile Ortaçağ kaynaklarında güzelliği misal olarak gösterilmiş, hatta İran edebiyatında 'Türk' sözcüğü 'güzel insan' anlamında kullanılmıştır..."

Her ne kadar, 'ortaçağ kaynakları' ve 'İran edebiyatı' lafları bu tanımın çok eskilere dayandığını akla getiriyor olsa bile...

Üstelik söz konusu tanımlamayı kendi aramızda yaptığımız için başkaları tarafından fazla ciddiye alınmasa dahi...

... Ben kitabı bitirirken olumlu özelliklerimizi ön plana çıkarmak istiyorum.

Olumlu özelliklerimiz hakkında dilimizden düşmeyenleri bir araya toplarsak şunlar da yazılabilir:

-Bizim millet bulunmaz Hint kumaşıdır, ama biçmesini bilen yok.

-Biz çok çalışkanızdır, ama fazla çalışmayız.

-Biz biraz kendimizi sıksak, dünyaya meydan okuruz, ama kendimizi sıkmayız.

- Çünkü biz kendimizi sıkmasak bile dünyaya meydan okuruz.

-Biz icabında hiçbir şey yapmadan da dünyaya meydan okuruz, ama ne gereği var şu ölümlü dünyada...

BİTTİ...

SÜRÇ-İ LİSAN ETTİMSE....

Aslında millet olarak çok güzel özelliklerimiz var; bunlar biliniyor, her fırsatta yazılıyor, çiziliyor ve her ortamda dile getiriliyor. Tek taraflı övünme bombardımanı konusunda son zamanlarda biraz aşırıya bile kaçıldı.

Kendini övme dünyanın en kolay işi sayılır, buna karşılık yeterinden fazla övünme 'böbürlenme' olarak kabul edildiğinden olumlu bir özellik sayılmaz. Hatta alay konusu haline gelerek ters tepen bir silaha bile dönüşebilir.

Ben bozulan dengeyi biraz olsun sağlayabilmek için elinizde tuttuğunuz kitapta dürbünün biraz da tersinden bakmak istedim. Üstelik sunuş yazısında da belirttiğim gibi sözüm tüm Türkler'e değil, sadece 'the Türkler'e...

Yine de sürç-i lisan ettimse affola...